D1114243

l'été s'appelle julie

Maquette de la couverture : Jacques Léveillé
Photo de la couverture : André Le Coz

ISBN-0-7761-0042-4

Dépôt légal — Bibliothèque Nationale du Québec
2e trimestre 1975

l'été s'appelle julie

marcel dubé

THÉÂTRE/LEMÉAC

L'été s'appelle Ludovic

Oui, je sais que l'été s'appelle Julie et que c'est là un titre excellent, frais et ensoleillé, comme le personnage qu'il désigne. Je sais aussi que cette Julie l'Été nous rend d'un coup, dans cette période de disette, la présence vraie du théâtre. Avant-garde? Arrière-garde? L'important, c'est la garde et que Dubé la monte encore, la représente une fois de plus au profit des œuvres d'hier et de demain.

Il me semble seulement que cette comédie profonde et légère, âpre et romantique, sévère et joliment fleurie, est essentiellement observée par les yeux de Ludovic, qu'il y regarde le monde avec une tendresse divisée, avec l'espoir inquiet de ses projets, avec gravité, puisqu'il y joue un peu ses dernières cartes. Après, l'au-

tomne. Presque déjà l'hiver... L'Été s'appelle Julie *est une comédie de caractères dont tous les caractères déposent leur reflet sur Ludovic et dont il renvoie la lumière. Ce qui n'empêche nullement ces cinq personnages d'être authentiques et singuliers, précisément vivants. Qu'ils soient vus par Ludovic ne les déforme pas, ne les prive pas de leur autonomie. Ludovic voit juste. C'est même sa spécialité : il écrit.*

Mais enfin il leur sert de centre, de pilier, lui qui a tant de mal à assurer ses points d'appui, à servir de centre à lui-même. Ludovic est un homme au cœur et à l'itinéraire mobiles. Il peut donc servir de miroir et de révélateur, ce qui ne l'empêche pas non plus de représenter une certaine fixité, une fidélité à des principes et des options balayés par les vents tumultueux de la mode. Comme l'observe Hélène, qui est sa seule amie depuis dix ans, il s'accorde aussi mal avec l'évolution du monde qu'avec le vertige de ses sentiments. C'est un homme seul, en quête, nous dit-on, d'un absolu, d'un ineffable qui lui ont échappé toute sa vie.

Il serait temps qu'il les rencontre ou qu'il se fixe : il a quarante-huit ans, un âge qui n'a rien de bien particulier hors le privilège «de vous situer sur le versant de la descente, de la chute». Ludovic voudrait bien asseoir sa vie, pris entre cette blessure symbolique qui paralyse son bras, son âme elle aussi en écharpe au sein des saisons épanouies et ses convictions généreuses en proie aux marionnettes de la «nouvelle culture» — comment une culture, qui est ce que nous fûmes, peut-elle être nouvelle? —, aux dynamiques fossoyeurs de l'identité, aux sympathiques servants des multinationales, aux technocrates et fonctionnaires «qui s'imaginent avoir implanté ici un nouveau système de vie alors qu'ils achèvent de détruire le peu que nous avions.»

À cette destruction, qui le détruit lui-même, Ludovic est d'autant plus sensible qu'on le voit exposé aux angoisses d'un métier aussi exaltant qu'éprouvant, couvert de doutes, sinon de dettes, et d'harassante incertitude quant aux sens et aux voies, aux hasards de la réussite et du talent. Un métier où les preuves antérieures ne comptent pas, où rien ne sert d'avoir beaucoup écrit puisque, à chaque fois, tout est à recommencer, où «on en arrive inévitablement à se copier soi-même», où même on se retrouve cerné, pour vivre, par les commandes qui font que, neuf fois sur dix, Ludovic «déteste faire ce qu'il devrait aimer le plus au monde: écrire».

Cherchant l'amour dans des aventures plus rêvées que réelles, de beaux visages incertains, des passions dispersées, aussi dans tout ce qu'il écrit, qui, comme dit Julie, ne parle que d'amour mais finit toujours mal — Julie veut imposer, lui imposer des fins heureuses —, velléitaire par culpabilité et par repli, naguère il a aimé Hélène, c'est-à-dire que, selon l'intéressée, il n'a fait que jouer à cache-cache avec elle avant de faire machine arrière.

Elle dit de lui que, depuis ses vingt ans, il n'a aimé qu'une seule femme: celle qu'il attend. Et il dit d'elles: «Pourquoi refusent-elles toutes de voir ce que je vois?» Peut-être parce que, si ce qu'il voit est clair, ce qu'il fait n'y correspond pas. Il veut se retrouver, étayer son intelligence, ses projets et il se laisse subjuguer par l'ami de passage. Il veut parler de mariage à Hélène et il s'égare du côté des charmes concrets de la femme de l'ami.

Séduisant kaléidoscope, s'il aime Hélène, à sa façon mouvante, c'est qu'elle est tendre et «pleine de grâce», mais c'est aussi qu'elle lui ressemble: «Je n'ai jamais été, observe-t-elle, que la réflexion de mon entourage. Ce qui fait que l'on dit de moi que je suis très changeante». Subtile mais légère, sachant que le chagrin abîme, généralement «elle cède peu parce qu'elle aime mieux admirer». À ce bel animal de race doué de toutes les gentillesses, de toutes les séductions, Ludovic destine indirectement le portrait qu'il fait de Paula dans une de ses nouvelles: une femme qui a, comme les femmes, une peur maladive de l'insécurité, qui n'a jamais aimé qu'une seule personne au monde: elle-même et qui se venge sur les bijoux parce que, brillants, palpables et muets, ils sont bien plus tangibles que les rêves. Appliqué à Hélène, le portrait est juste et injuste. Hélène est moins banale ou plus complexe. Intelligente et vulnérable, forte et fragile, ce sont les hommes comme Ludovic qui l'ont rendue raisonnable.

Ami et pôle contraire de Ludovic, René, cette dynamo, cet ouvreur de pays, est surtout pragmatique jusqu'au cynisme, avec les femmes ou les idées, avec le gouvernement, l'Iron Ore ou l'I.T.T., putain, chacal, dit Ludovic qui l'aime bien parce qu'il est fort ou reposant, sympathique dans son dynamisme. Animal, ce que Ludovic n'est surtout pas. De ces hommes qui, eux, les heureux, ne comprennent que ce qu'ils veulent et ne regrettent jamais rien. René n'est qu'un monolithe en mouvement. Un instant, on se dit que la jalousie est en train de lui donner une chance de s'humaniser. Va-t-il souffrir? Sa femme va-t-elle le tromper? Mais il est tard. René bâille, en s'interrogeant, parce qu'il a sommeil.

Et il a pris une femme à son image, veillant d'ailleurs à ce qu'elle ne puisse s'en écarter. Comme tout commence, dans la vie, et tout finit à la couchette, Geneviève, du moment qu'elle se sent bien dans son corps, c'est l'essentiel, «Cette belle a un registre limité: elle ne sait que porter les valises et faire l'amour». L'image est-elle si limitée? Venue d'un milieu pauvre, Geneviève n'a connu depuis ses dix-sept ans que des hommes rudes et des aventures difficiles. Provoquée à penser par la lucidité ambiante, elle dit: «Je ne pleure pas parce que je suis une bête». Elle pleure en le disant. Traversant les propos d'Hélène, les mots d'amour de Ludovic, Geneviève s'épaissit et se retrouve un peu mais songe avec ennui que, désormais, elle «aura de la difficulté à retrouver sa vraie vie». Sa vie libre de bel animal obéissant.

Reste, dans les yeux exaspérés de Ludovic, l'image cocasse de l'à peine caricatural «jeune comédien d'avant-garde». Il est parfait, ce Jules Lévy. En toutes circonstances, sa suffisance répond à sa médiocrité et sa présomption épanouie n'a d'égale que sa bêtise. Il peut tout contester: il ne sait rien, hormis cette volonté d'arriver vite et sans rien faire où d'autres ont accédé par le savoir et la patience. Aussi nul qu'assuré. Dans son monde de pacotille envahissante, on imagine que Jules Lévy peut être roi. Un joyeux spécimen: moi, je l'aurais appelé Scully Victor.

Futé, il ne s'en est pas remis au seul conservatoire du soin de le débarrasser de ses complexes. Il a pris également des «cours de communication humaine». En est sorti un petit goujat faussement décontracté, pratiquant, appliqué, l'esclavage de la «liberté», puant, inculte, follement opportuniste et ridicule, pris pitoyablement au vent de toutes les modes et idées toutes faites, de la création collective aux aliments naturels, de la joie par l'avortement à la psychanalyse du refoulement sexuel et au fas-

cisme minuscule mais béat de ce qu'il appelle les mouvements de gauche. Un nain. Envahissant. Quelques jeunes lui ressemblent. Beaucoup de jeunes ressemblent à Julie.

Car Julie, c'est l'été. Ou plutôt le printemps puisque nous sommes à la mi-juin, qu'elle a vingt et un ans et qu'elle fait à la fin à ce Ludovic angoissé, las, divisé, bientôt quinquagénaire, le don qu'elle rêve de faire depuis les premiers instants de la pièce: elle lui restitue le printemps. Hélène, songeant à recommencer, demandait avec anxiété à Ludovic: «Pourras-tu seulement durer?» Julie ne se pose pas, et ne lui pose pas la question: il durera puisqu'elle est sa jeunesse.

Julie, il n'y a pas un personnage de la pièce qui ne l'aime pas. Pas un lecteur non plus. Julie s'appelle l'été. Et celui-ci le lui rend bien.

Alain Pontaut

L'ÉTÉ S'APPELLE JULIE

PERSONNAGES

LUDOVIC SANTERRE : 48 ans, écrivain ;
JULIE BOUDREAU : 21 ans, secrétaire, originaire de Penouille en Gaspésie ;
JULES LÉVY : 23 ans, jeune comédien ;
RENÉ GÉRIN : 40 ans, mari et ingénieur ;
GENEVIÈVE : 29 ans, très belle, deuxième épouse de René ;
HÉLÈNE : 35 ans, célibataire pleine de grâce, tendre amie de Ludovic.

DÉCOR

Le petit parc derrière et autour de la maison de campagne de Ludovic. À gauche : le coin de la villa, avec fenêtres, porte d'entrée, véranda avec vue sur la rivière, perron, fanals électriques sur le porche et aux poutres verticales qui soutiennent le toit de la véranda sur laquelle se trouvent des chaises de rotin ou d'osier.

À droite: un treillis ou une tonnelle qui forme l'arche d'entrée du parc en pelouse. Des vignes grimpent aux mailles du treillis sous lequel passe un chemin de pierres plates qui conduit au perron de la maison. En retrait, un saule généreux, vert tendre, qui n'a pas été émondé. Sous le saule, un téléphone que l'on ne voit pas, mais que l'on entend.

Au centre du jardin: une table ronde toute blanche avec autour des chaises pliantes de couleur unie, de structure solide. Non loin, une rôtissoire et une étagère de fer forgé qui sert de bar.

Au fond: des petits bouleaux blancs aux anneaux noirs, la rivière lisse et paisible qui passe avec lenteur et l'autre rive lointaine et diffuse faite de collines et de vallons. Nous ne sommes pas dans un pays montagneux.

Tout à fait à l'avant-scène: suspendues à un fil transversal, des lanternes chinoises qui s'allument à l'électricité le soir, ainsi que la boîte à lettres rurale clouée à un pieu, portant le nom de Ludovic. Le tout n'a rien de luxueux. C'est un décor simple et surtout très joli.

PREMIÈRE PARTIE

Premier tableau

« Un après-midi vers le 19 juin. Il fait merveilleusement beau. C'est le jour que tous les personnages ont choisi pour faire leur apparition dans la pièce. »

Au début, c'est le noir, la pleine nuit. Puis en même temps qu'un rayon de lumière s'allume imperceptiblement d'abord à l'avant-scène sur la boîte aux lettres portant le nom de Ludovic Santerre, une voix lointaine et pure chante. Une voix de femme. Le rideau se lève. L'éclairage est à son plus faible, mais prendra graduellement plus d'intensité. Deux ombres sont en scène : celles de Ludovic et de Julie. Elles sont immobiles. Julie est assise, Ludovic debout. Lentement, comme au ralenti ils se mettront à se mouvoir. Julie prend la dictée tandis que Ludovic va et vient devant elle, prononçant des paroles que nous n'entendons pas. Et ce sera ainsi jusqu'à ce qu'on ait fait l'éclairage de plein jour sur les deux personnages et tout le décor. Et bien sûr, alors là seulement, la chanson d'ouverture se terminera et la voix de femme se sera tue. Mais tout au long de la pièce, un piano de coulisse soulignera ou ponctuera certaines scènes ou répliques. Une musique a été composée qui servira donc de trame musicale à toute la pièce.

VOIX DE FEMME —
« Quand l'été sera venu »
« Je ferai mon lit au fond de la rivière »
« Je dormirai le corps nu »
« Les yeux ouverts »
« Pour suivre à travers »
« Le miroir »
« Des eaux noires »
« Le lent voyage »
« Des étoiles »
« Et je n'aurai plus d'âge »
« Mon cœur ne portera plus de voiles »
« Quand l'été sera venu »
« Sera venu aussi l'amour »
« Les fleurs pousseront tour à tour »
« Et la vie aura recousu »
« Toutes les blessures »
« Et les déchirures »
« Des saisons de chagrin »
« Ce sera le temps des magiciens »
« Des aurores boréales »
« Et des grands matins »
« Quand l'été »
« Oui quand l'été »
« Nous crèvera la vue »
« Une fois revenu »

Un silence, Ludovic a cessé de marcher. Il est là faisant face au public, le regardant dans ses mille yeux. Julie est aussi immobile, la main levée, tenant son crayon au-dessus de son cahier de notes. Elle est comme médusée, étonnée, son âme et son regard sont rivés sur Ludovic qui, le bras droit en écharpe, semble suivre le fil ténu d'une pensée ou d'un rêve.

LUDOVIC — « Retrouver tout à coup la vie... Sortir de la nuit et de la douleur qui nous contraignaient depuis si longtemps... Et dire... et pouvoir dire : je vous aime... Restez avec moi car mon cœur est de nouveau avec vous... C'est moi... Je suis revenu... Me reconnaissez-vous ? »

Il s'arrête, interdit, se rendant compte tout à coup qu'il est sorti de son sujet. Julie aussi s'en était aperçue puisqu'elle avait cessé de prendre la dictée. Mais pour elle, la digression semble plus étrange qu'à Ludovic qui, lui, sait très bien par quoi ou par qui il est hanté.

JULIE — Excusez-moi, mais ça s'appelle comment ?

LUDOVIC — Quoi donc ?

JULIE — Ce qui vient de vous prendre ?

LUDOVIC — Une distraction. Je me suis tout simplement écarté de mon sujet. Mais ça ne vous regarde pas.

JULIE — Je sais bien. J'ai rien pris en sténo non plus. Je me suis bien rendue compte que vous changiez de train.

LUDOVIC — La vie est pleine de digressions, Julie. Exemple: un homme trompe sa femme avec une autre? Ce n'est qu'une digression.

JULIE — Ah! oui? Je croyais que c'était une infidélité de coureur de jupon.

LUDOVIC *sourit et se rapproche d'elle pour la taquiner* — Évidemment quand on vient de Penouille en Gaspésie...

Immédiatement vexée, Julie ferme froidement son cahier de notes et dépose son crayon sur la table, puis se lève et s'éloigne de Ludovic résolument.

LUDOVIC, *étonné* — Mais où est-ce que vous allez?

JULIE — À l'auberge, faire ma valise.

LUDOVIC — Et pourquoi, Julie?

JULIE — Vous le savez, je vous l'avais dit: la prochaine fois que vous vous moquez de mon village natal, je pars. Et malgré votre promesse de ne plus jamais le faire, vous venez encore de recommencer. Maintenant vous avez ma démission sur la conscience.

Elle se dirige vers la sortie.

LUDOVIC — Voyons Julie. J'ai encore besoin de vous, moi... Vous savez bien que je suis incapable d'écrire tant que j'aurai le bras en écharpe.

JULIE, *ferme* — Achetez-vous un dictaphone comme tout le monde, ce sera pareil.

LUDOVIC *grimace* — Non, ce ne sera pas pareil. Un dictaphone c'est impersonnel, inhumain.

Je me sentirais gêné, ridicule, de donner la dictée à une chose qui n'aurait d'autre réaction à mes paroles que de les enregistrer bêtement. Et puis après, admettons que j'y parvienne, il faudrait que je confie les rubans à ma secrétaire pour qu'elle les tape à la machine et si vous me quittez, je n'ai plus de secrétaire.

JULIE, *qui conserve le haut du pavé* — Vous mettrez une annonce dans les journaux. Comme vous avez fait quand vous m'avez engagée.

Elle fait un autre pas pour s'éloigner de lui.

LUDOVIC — Non, Julie!

JULIE — Je ne vous suis pas indispensable, moi! Il y a beaucoup de chômeurs aujourd'hui qui se cherchent du travail. Je m'en charge si vous voulez. Je peux téléphoner aux journaux et leur dire ce qu'il faut écrire. « Homme d'un certain âge, partiellement invalide, aurait besoin d'une oreille et de deux mains pour prendre la sténo et taper à la machine. De préférence, ne pas être originaire de Penouille en Gaspésie. »

LUDOVIC *grimace d'abord et la regarde ensuite avec des yeux presque admiratifs* — Comme vous pouvez être susceptible, Julie, et comme la colère vous va bien! Je ne connais pas beaucoup de jeunes filles de votre âge qui aient votre fierté.

JULIE, *méfiante* — N'essayez pas de me retenir avec...

LUDOVIC *la coupe* — Approchez Julie, venez ici un moment, j'ai une confidence à vous faire.

Elle le regarde, l'examine, ne voudrait pas céder, mais donne quand même l'impression qu'elle commence à fléchir, tout en demeurant méfiante comme il se doit quelques moments de plus.

LUDOVIC — Venez. Soyez sans crainte. Vous avez confiance en moi ?

JULIE — Un homme qui ne respecte pas sa parole...

LUDOVIC — Je voulais vous taquiner... Pour revenir à la réalité.

JULIE — Je ne suis pas bornée, vous le savez, mais reconnaissez aussi qu'il y a certaines choses qui me tiennent trop à cœur pour...

LUDOVIC *ne la laisse pas achever* — Oui je sais, mais attendez. Je vais vous apprendre un petit fait que vous ignorez, dont je n'ai jamais pu vous parler.

Lentement, la démarche relâchée, mais le regard hautain et froid, elle revient vers lui, comme si elle n'était pas trop empressée à entendre ce qu'il a à lui dire. Mais elle l'est.

JULIE, *regardant ailleurs, les mains dans les poches de ses «jeans», avec condescendance* — Allez-y. Je vous écoute.

LUDOVIC, *se souvenant, avec une certaine nostalgie* — Le temps passe, Julie... Il y a déjà plusieurs années de ça. J'ai connu une femme qui était... mon amie. Oui. Une amie que j'aimais beaucoup beaucoup.

JULIE — Votre maîtresse autrement dit!

LUDOVIC *sursaute légèrement et sourit* — Si vous voulez... Je l'avais rencontrée depuis peu lorsque je lui demandai de partir en voyage avec moi. J'avais déjà vu la Gaspésie, elle jamais. Comme elle était très sensible à la nature, comme elle aimait la mer avec une étrange passion, je décidai de lui faire voir toute la péninsule. Les caps, le golfe, les ports de pêche, la Baie des Chaleurs. Ce fut un voyage que je n'oublierai jamais. Elle non plus peut-être. Elle doit y penser encore parfois, avec une certaine nostalgie. Mais ça, c'est une autre histoire... Ce que je voulais vous apprendre c'est qu'au cours de ce voyage, nous nous sommes arrêtés pendant deux jours à Penouille...

JULIE — Ce n'est pas vrai. Vous voulez m'amadouer. Les voyageurs ne s'arrêtaient pas à Penouille. Pas pendant deux jours en tout cas!

LUDOVIC — C'était à la fin d'une journée particulièrement très belle, Julie. Les petites barques des pêcheurs rentraient au port. Nous nous sommes arrêtés parce que la plage était invitante. L'eau était plus chaude qu'ailleurs et nous nous sommes baignés. Le sable est blond à Penouille, hein Julie?

JULIE — Oui.

LUDOVIC — Ce n'est pas un grand village, mais les maisons et les chalets sont bâtis en s'échelonnant au flanc des collines qui dominent la plage... Nous n'avions pas envie de reprendre la route. Ce qui fait qu'après la baignade, nous sommes remontés vers le village pour mieux voir le pays. C'est là qu'au loin nous avons aperçu Gaspé dans le soleil couchant. La rivière York et la rivière Dartmouth se déversaient paisiblement dans la baie de Penouille. Nous ne parlions pas, nous ne faisions que regarder. Puis j'ai tourné les yeux du côté de cette personne qui était avec moi et je me suis rendu compte qu'elle pleurait. Je lui ai demandé ce qui se passait. Elle n'a pas répondu tout de suite. Elle ne m'a pas regardé non plus. Enfin, doucement, elle a dit: « Je voudrais mourir ».

JULIE, *spontanément, émue* — Pourquoi?

LUDOVIC *ne répond pas à sa question* — Nous avons marché dans le village et nous avons rencontré un vieux pêcheur d'origine écossaise. Je me suis informé auprès de lui sur les possibilités de trouver une auberge pour la nuit à Penouille. Il n'a même pas paru entendre ma question. Il nous a invité chez lui, ou plutôt il nous a contraints à le suivre jusqu'à sa petite maison et il n'était pas question pour nous de refuser l'hospitalité qu'il nous offrait. C'est comme ça que nous avons passé deux jours à Penouille.

JULIE, *troublée, ou touchée* — Mais pourquoi votre... amie avait-elle pleuré?

LUDOVIC — Il y a des personnes pour qui le bonheur est trop grand et qui en ont peur. Alors, un jour, plutôt que d'aller jusqu'au bout de leur joie, elles se réfugient dans la médiocrité pour se défendre contre leurs sentiments les plus profonds et se mettre à l'abri de leur cœur. Mais ça c'est une autre histoire.

JULIE — Je ne comprends pas tout à fait.

LUDOVIC — C'est aussi bien pour l'instant. Mais dites-moi: est-ce que j'ai vu ou est-ce que je n'ai pas vu Penouille?

JULIE — Je pense que vous auriez dû me le dire plus tôt au lieu de me faire fâcher comme c'est arrivé.

LUDOVIC — Et que je vous raconte tout ma vie dès le premier instant où vous êtes arrivée ici?... Non Julie. Il n'aurait pas suffi d'un jour. Quand un homme a l'âge d'être votre père, il a déjà vu pas mal de choses... Bon! Au travail, mademoiselle. Où en étions-nous avant ma digression?

JULIE — J'ai appris un nouveau mot aujourd'hui... Digression... Vous me dictiez une nouvelle qui vous a été commandée par Maclean et qui n'a pas encore de titre.

LUDOVIC — Ah oui! En principe, j'aime écrire des nouvelles, mais pas sur commande. C'est la même chose pour tout ce que je fais. Le théâtre, la télévision, les essais, les romans, les articles de journaux. Comme je m'exécute sur commande neuf fois sur dix, je déteste faire ce que je devrais aimer le plus au monde: écrire... Relisez-moi les dernières lignes, s'il vous plaît Julie.

JULIE, «*recto tono*» — «La veille, une autre fois... Paula avait succombé aux sortilèges que créait Vincent... autour... de lui.» Point.

LUDOVIC, *à la fois sarcastique et amusé* — Vous lisez très très bien.

JULIE, *loin d'être dupe* — Je suis sténo-dactylo, pas comédienne.

LUDOVIC *reprend son texte où il l'a laissé* — «Les sortilèges que créait Vincent autour de lui»... J'ai déjà écrit quelque chose de semblable dans une autre nouvelle et je ne sais pas laquelle. On en arrive inévitablement à se copier soi-même... «Les sortilèges que créait Vincent...» *(Une pause.)* «En jetant les yeux dehors...»

JULIE, *en automate sans tenir compte de l'intelligence de la dictée* — «En jetant les yeux dehors...»

LUDOVIC — «Elle avait découvert la nuit d'hiver...»

JULIE, *répétant toujours* — «... Découvert.. nuit... d'hiver...»

LUDOVIC, *agacé* — «Blanche, étale, immobile, ancrée aux grandes épinettes bleues de Norvège qui se dressaient dans le parc silencieux.»

JULIE — «... Étable...»

LUDOVIC — «Étale!»

JULIE — «Étale... bile... grandes épinettes... Norvège... dressaient... parc silencieux.»

LUDOVIC, *exaspéré* — Ne répétez pas tout comme ça à voix haute!

JULIE — C'est une habitude que j'ai prise.

LUDOVIC — Quel âge avez-vous déjà?

JULIE — Vingt et un ans.

LUDOVIC — Profitez tout de suite de votre jeunesse pour vous corriger de vos mauvaises habitudes. *(Apaisé.)* « Dans le parc silencieux »... *(Une pause.)* « Et c'était pleine lune. »

JULIE — « Et c'était... » *(Pose aussitôt la main sur la bouche avec culpabilité et envie de rire.)* Excusez-moi, c'est venu tout seul! *(Griffonne quelques signes sur son cahier.)* Continuez.

LUDOVIC — « La fête semblait auréoler Vincent, lui enlever son poids de chair. »

JULIE *transcrit la phrase en signes rapides et relève la tête* — Oui?

LUDOVIC — « Il était en pleine dérive, vers ses pays lumineux, vers ses continents mythiques. »

JULIE *fronce les sourcils parce qu'elle n'a pas très bien compris le dernier mot, mais transcrit tout de même la phrase en s'arrêtant à mythique* — Le dernier mot encore?

LUDOVIC — « Mythique ».

JULIE — Vous êtes sûr qu'il existe?

LUDOVIC — Oui.

JULIE — Il y a sûrement des lecteurs qui ne le comprendront pas.

LUDOVIC — Ils consulteront leur dictionnaire.

JULIE — Comme l'épelez-vous?

LUDOVIC *l'épèle* — M-Y-T-H-I-Q-U-E!

JULIE — Merci.

LUDOVIC — « Paula s'y laissait entraîner, partageait sa belle folie... »

Julie s'exécute.

LUDOVIC — « Consciente cependant qu'un jour... »

JULIE, *tout en transcrivant* — Je ne veux pas que ça devienne triste.

LUDOVIC — L'amour des poètes est souvent mal reçu et Vincent est une sorte de poète... « Consciente cependant qu'un jour, il lui faudrait rompre avec ce genre de rituel et briser les songes de Vincent. »

JULIE, *tout en transcrivant* — Parce que son bonheur serait trop grand et la ferait pleurer?

LUDOVIC — Je ne sais pas.

Le téléphone sonne.

LUDOVIC — Excusez-moi.

Il disparaît sous le saule pour répondre à l'appel. Julie, dont le travail demeure en suspens, suivra avec intérêt les choses que dira Ludovic au téléphone et réagira en conséquence.

LUDOVIC, *presque entièrement caché par le feuillage du saule* — Allo!... Hélène?... Mais qu'est-ce que tu fais, où es-tu?... Non, pas l'autobus!... Je t'attendais au train de huit heures, ce soir... Tu es à neuf milles de chez moi exactement et il n'y a que le taxi qui puisse t'amener parce que ma voiture est à la ferraille... Et tu auras un quart de mille à marcher parce que le pont du ruisseau n'est pas encore reconstruit... Je ne t'attendais pas si tôt, mais je ne suis pas du tout dérangé... Ne te préoccupe pas de mon bras, il guérit tout seul... Je paierai le taxi... Mais oui!... Fais vite, je t'attends!... Ciaô!...

On l'entend raccrocher. Il reste un moment immobile sous le feuillage, puis vient lentement retrouver Julie. Il paraît préoccupé. Il a le regard quelque peu perdu. Long silence. Julie le regarde.

JULIE — Vous devriez vous montrer plus heureux il me semble, si c'est la visite que vous attendez depuis une semaine.

LUDOVIC, *qui ne le paraît pas du tout* — Je suis très très heureux.

JULIE *éclate de rire* — Si vous vous voyiez!

LUDOVIC, *sec* — Ma joie est intérieure, mademoiselle.

JULIE *le reprend* — Julie.

LUDOVIC — Oui, Julie. À mon âge, quand on connaît certains moments de bonheur, on ne marche pas sur les mains en turlutant.

JULIE — Vous préférez tout cacher.

LUDOVIC — C'est ce qu'on appelle de la décence... Et puis je n'aime pas trop ces imprévus qui chambardent mes plans. J'avais projeté de lui préparer moi-même un souper aux chandelles, ce soir. Au lieu de ça, c'est elle qui va se charger de tout.

JULIE — Est-ce que c'est la personne qui vous accompagnait lorsque vous êtes allé à Penouille?

LUDOVIC — Non, celle-là m'a dit adieu un jour et je ne l'ai jamais revue... Tandis qu'Hélène est ma seule amie depuis dix ans. À mon âge...

JULIE *le coupe* — À votre âge, qu'est qu'il y a de si spécial à votre âge pour que vous en parliez toujours comme ça?

LUDOVIC — J'ai quarante-huit ans, Julie.

JULIE — Et puis après?

LUDOVIC — Je suis sur le versant de la descente, de la chute.

JULIE — Vous pensez trop. Moi je me demande comment vous faites pour passer votre vie à penser? Et vous n'êtes pas encore devenu fou, c'est surprenant! Vous restez seul aussi, comme ça, presque à longueur d'année. Vous n'avez jamais été marié?

LUDOVIC — Non, jamais.

JULIE — Pourquoi?

LUDOVIC — J'aimais trop les femmes. Je ne voulais pas me placer en situation de les haïr.

JULIE, *que cette réponse prend au dépourvu et qui se montre admirative* — Dix sur dix, monsieur Santerre. Mais je pense que vous auriez pu me fournir une autre explication.

LUDOVIC — Laquelle?

JULIE — La vraie. Et je la connais.

LUDOVIC — Dites-la moi.

JULIE — Vous n'avez jamais été marié parce que vous aviez peur.

LUDOVIC — De quoi?

JULIE — De ne pas vous contenter d'une seule femme, de ne pas aimer la même toute votre vie.

LUDOVIC — Vous avez deviné ça toute seule, vous!

JULIE — Oui. J'ai vu ça dans ma p'tite tête.

D'autant plus que vous étiez sûrement très beau, vous étiez un homme connu, célèbre... Les femmes devaient tourner autour de vous comme des mouches collantes.

LUDOVIC *sourit avec nostalgie* — Elles me trouvaient beau, oui.

JULIE — Elles avaient du goût. Parce que vous êtes beau. Vous êtes resté beau. En dehors comme en dedans, je pense.

LUDOVIC — Heureusement que j'ai une allergie profonde pour la vanité.

JULIE — Dites plutôt que vous avez appris à la dissimuler.

LUDOVIC — Vous allez continuer longtemps à m'analyser comme ça?

JULIE — Non, j'ai fini. Maintenant il faut vous remettre au travail. Mais une dernière chose avant. J'ai un conseil à vous donner: mariez-vous donc, c'est uniquement ce qui vous manque. Parce que je suis certaine d'une chose: la femme qui vient de vous téléphoner...

LUDOVIC — Hélène...

JULIE — Hélène, oui, vous dites qu'elle est votre seule amie pour ne pas vous avouer qu'elle vous aime d'amour.

LUDOVIC, *qui ne la savait pas si perspicace* — Lorsque je vous ai embauchée, c'était pour que vous me serviez de secrétaire et non pour que vous me donniez des cours d'initiation au mariage. Et puis vous êtes trop jeune pour faire ce genre d'apostolat, vous n'avez pas la tête d'une zélatrice. De toute façon je ne vous permets pas de mettre votre nez dans mes affaires sentimentales.

JULIE — Merci. J'ai compris. Mais je vous fais remarquer en passant que tout ce que vous écrivez ne parle que d'amour. Rien d'autre. Vous avez beau essayer de vous camoufler dans tout ça, moi je me dis que ça pourrait vous ressembler... Maintenant, si vous voulez revenir à Paula et Vincent, je pense que notre « disgression » a assez duré.

LUDOVIC — Digression.

JULIE — Oui, c'est la même chose.

LUDOVIC — Pas tout à fait... Vincent et Paula vont demeurer en suspens jusqu'à demain. Je n'ai plus le temps de m'occuper d'eux. Votre journée de travail est terminée, Julie.

JULIE — C'est regrettable, j'avais hâte de voir comment ça allait finir. Je voudrais que vous fassiez une fin heureuse pour une fois. J'aimerais que Paula ne trouve pas le bonheur trop grand avec Vincent et qu'elle l'aime de tout son cœur et qu'ils partent ensemble pour un long voyage.

LUDOVIC *sourit tristement* — Oui... Mais il ne faudrait pour ça que je consente à fausser leur destin. C'est beaucoup me demander.

JULIE — Mais regardez donc autour de vous comme tout est beau ! C'est l'été, le soleil répand sur le monde la seule lumière et la seule chaleur qui rendent les gens vraiment heureux. Rien n'est triste ici. Vous n'êtes pourtant pas aveugle !

LUDOVIC — Quand je vois des enfants s'amuser sur une voie ferrée je vois aussi venir la locomotive qui va les happer et les déchiqueter.

JULIE — Vous devez souffrir beaucoup alors?

LUDOVIC *hausse les épaules et ne sait pas tout de suite quoi répondre* — ... Il y a des gens qui passent leur vie à pressentir le malheur, à se dire que la seule chose dont on puisse être absolument sûr, c'est la mort! Ils ne tiennent pas alors à être dupes du reste.

Julie le regarde, remuée. Silence. Ni l'un ni l'autre ne bouge pendant un moment. Paraît Jules Lévy à l'avant-scène, vêtu en finissant du Conservatoire d'art dramatique, c'est-à-dire comme «la chienne à Jacques». Il est un garçon agité qui se veut sûr de lui et qui donne l'impression d'être à sa place partout où il passe, mais qui ne l'est pas. Il aperçoit Ludovic et Julie dans le parc, s'immobilise et se tourne vers le public avec un grand sourire et un geste quelconque de triomphe. Puis pivote sur lui-même et avance de quelques pas dans le parc. Ni Ludovic ni Julie ne l'ont encore vu.

JULES, *en s'avançant dans le parc* — Bonjour bonjour bonjour!

Très étonnés, Julie et Ludovic l'aperçoivent et l'on devine à leur expression qu'ils ne le connaissent pas. Ludovic est courroucé de cette intrusion tandis que Julie semble amusée sinon intriguée par le personnage.

JULES *prend les devants et va jusqu'à Ludovic, lui tend la main* — Monsieur Ludovic Santerre, je suis heureux de pouvoir vous serrer la main parce que je vous ai toujours considéré comme un grand bonhomme. *(Voit que Ludovic se refuse à lui tendre la main, retire la sienne et indique Julie d'un signe de tête.)* Votre fille?

LUDOVIC, *à Julie* — Qu'est-ce que c'est ça?

LUDOVIC *hausse les épaules en toute ignorance* — C'est un garçon, je crois, qui sait votre nom, donc qui doit vous connaître.

LUDOVIC — Voulez-vous lui dire s'il vous plaît qu'on n'entre pas chez moi comme ça. Que s'il désire me rencontrer il n'a qu'à prendre rendez-vous par téléphone ou en écrivant, mais qu'il ne s'en donne pas la peine puisque je n'accorde aucun rendez-vous à qui que ce soit parce que ça m'emmerde profondément.

JULIE, *à Jules* — Je ne suis pas la fille de monsieur Santerre, mais sa secrétaire. Vous avez compris le message, j'imagine, vous n'avez pas besoin que je vous fasse de dessin.

JULES *sourit très ouvertement comme s'il ne venait pas d'être viré* — Mais oui. Je dois m'habituer à ce genre de réception et ne pas m'en faire, et foncer quand même. Je me suis donné six mois pour réussir et je réussirai. Je n'ai pas de temps à perdre.

LUDOVIC — Alors sortez d'ici immédiatement, vous nous faites perdre le nôtre et nous vous avons assez vu.

JULES — Très jolie votre secrétaire... J'étais prévenu contre vous monsieur Santerre. On m'avait dit que vous étiez plutôt le genre sauvage avec qui le contact s'établissait difficilement. Mais ce n'est pas ça qui va m'arrêter. Nous traversons une époque où il faut que les hommes apprennent à communiquer entre eux. Mais j'ai pris mes précautions. Pendant que je faisais le Conservatoire j'ai suivi des cours de communication humaine justement. C'est très très chouette comme cours, un peu casse-pieds, mais chouette quand même. Je suis entré là bourré de complexes, avec des traumatismes terribles et j'en suis ressorti comme... comme ça. Comme vous me voyez. *(Prend une pose de conquérant, puis se rapproche de nouveau de Ludovic à qui il tend la main une seconde fois.)* Jules Lévy mon nom. Je n'ai pas voulu le changer comme le font les minables et les cabots. Je me suis dit: tu as le talent, c'est l'essentiel. C'est ton talent, Jules, qui fera étinceler ton nom au firmament des étoiles.

LUDOVIC *refuse de lui serrer la main une seconde fois* — Vous avez exactement dix secondes pour décamper d'ici. Sinon je vous ferai voir toutes les étoiles de la voie lactée.

JULES, *exactement comme s'il n'avait rien entendu* — Je suis sorti troisième du Conservatoire. Je suis un comique, je ne fais que de la grande comédie pour l'instant.

LUDOVIC *hurle* — Je n'écris pas de comédie!...

JULES — On vous le reproche aussi.

LUDOVIC — Et je n'ai aucun rôle à vous offrir.

JULES — On m'avait bien dit que vous étiez limité. Si vous écriviez une comédie ce serait du tonnerre. Faites-moi un grand personnage qui soit drôle et vous verrez. Une nouvelle voie s'ouvrira devant vous, vous aurez l'impression de commencer une deuxième carrière. C'est indispensable pour que les jeunes se remettent à vous admirer. Ils s'impatientent, vous savez.

LUDOVIC — Je m'en fous! Je me fous des jeunes, des vieux, des tarés de ta génération et des papes de toutes les nouvelles vagues, je me fous de tous ceux qui s'imaginent avoir implanté ici un nouveau système de vie alors qu'ils achèvent de détruire le peu que nous avions. Les technocrates, les fonctionnaires de la connaissance humaine.

JULES *le coupe* — C'est un sujet en or! Je vous vois très bien dans la satire. Au lieu de toujours exploiter votre révolte, changez un peu, oubliez que vous êtes un auteur morose et exploitez le ridicule des gens que vous méprisez. C'est un conseil que je vous donne.

LUDOVIC, *encore un peu plus courroucé* — Un conseil! Un conseil! ...Julie! Allez me chercher mon douze que je lui en tire un coup dans les fesses.

JULIE — Mais je ne sais pas où il se trouve.

LUDOVIC — Dans le placard de ma bibliothèque, mais laissez faire, mon pied suffira.

JULES *ignore la menace* — Donnez sa chance à un jeune homme comme moi et vous aurez toute l'admiration des citoyens de Sainte-

Rosalie. Vous passez six mois par année parmi nous, mais vous êtes tellement jaloux de votre intimité que jamais personne n'a considéré votre présence ici comme une grande acquisition. Montrez-vous un peu plus engagé, posez un geste nationaliste et vous verrez, Sainte-Rosalie vous acclamera et vous saluera comme un héros dans la rue Principale... Parce que vous aurez mis au monde un p'tit gars de valeur qui fera honneur à son village natal.

LUDOVIC *s'adoucit un moment pour mieux gronder ensuite* — Julie ! Quand un garçon de son âge ne comprend pas qu'il n'est aucunement désiré, qu'après quelques secondes on l'a assez vu, mais qui insiste quand même, qu'est-ce qu'on lui fait ?

JULIE *hésite un moment pour réfléchir* — D'abord, il faut éviter de se fâcher, ça n'en vaut pas la peine. On lui dit de nous laisser la paix, qu'on n'a pas envie de le voir. Et s'il persévère quand même, on s'arrange pour l'éviter, pour le fuir par tous les moyens.

LUDOVIC *hurle encore* — Mais je ne peux pas le fuir, il est chez moi !

JULES, *indifférent à ce qui vient de se dire à son sujet, s'approche de Julie et lui caresse tout bonnement un sein* — T'es chouette toi, t'es bien tournée. Je te vois bien au cinéma.

Il n'a pas sitôt terminé sa phrase qu'il reçoit une gifle bien froidement appliquée sur la joue.

JULES — Mais qu'est-ce qui te prend?

JULIE — C'est plutôt toi qui me prend quelque chose.

LUDOVIC, *que le comportement de Jules à l'endroit de Julie semble avoir transformé* — Ça va faire! *(S'approche résolument de Jules qui montre ses premiers signes de crainte.)* Vous allez me faire le plaisir de vider les lieux sans ajouter une seule parole avant que je ne vous réduise en charpie.

JULES, *qui commence à trembler* — Mais vous n'avez qu'un seul bras!

LUDOVIC — Ce sera suffisant.

Et il lève la main gauche pour le frapper. Immédiatement Jules recule.

JULES — Les gens disent de vous que vous êtes un auteur très humain, moi je leur dirai qu'ils se trompent. Je leur dirai de quelle manière vous avez méprisé mon génie.

LUDOVIC — Deux génies dans le même lieu c'est trop, justement!

Il continue de foncer sur Jules qui trouve moyen de retraiter en lançant une dernière provocation.

JULES — Un jour, vous comprendrez que la jeunesse en a marre des croulants et les gens en place et je reviendrai réclamer ce qui m'est dû. Alors vous vous inclinerez devant moi parce que vous aurez besoin de rajeunissement si vous voulez être à la hauteur du peuple souverain.

Devant un Ludovic de plus en plus menaçant, il sort précipitamment, mais non sans avoir bousculé Hélène qui fait son entrée en scène, une petite malle de voyage à la main, un grand et merveilleux chapeau de paille aux rebords ondulants sur la tête et vêtue d'un léger costume d'été.

HÉLÈNE, *qui retient son chapeau pour éviter de le perdre, mais qui sourit quand même de ce qui vient de se produire* — Mon Dieu! Qu'est-ce qui se passe, Ludovic?

LUDOVIC — Hélène! *(Va au devant d'elle.)* Une chose inusitée chez moi, mais qui ne se reproduira plus.

Elle se coule dans ses bras et l'embrasse avec affection. On doit sentir une certaine réticence chez Ludovic devant cette marque de tendresse en présence de Julie.

HÉLÈNE, *très tendre* — Bonjour grand barbare.

LUDOVIC — Je suis heureux que tu sois là, Hélène. *(Un peu gauche.)* Je te présente Julie, ma secrétaire.

HÉLÈNE, *qui ne l'avait pas vue, va vers elle, très gentille* — Bonjour Julie.

JULIE, *impressionnée* — Enchantée, madame.

HÉLÈNE — Mademoiselle. Je me fais encore appeler mademoiselle même si j'ai passé le cap de la trentaine.

JULIE — Vous êtes belle.

HÉLÈNE — Ce n'est pas moi qui suis belle. C'est vous et votre jeunesse, Julie. C'est Ludovic qui est beau, c'est l'été, la campagne. Je n'ai jamais été que le reflet de mon entourage, vous savez. Ce qui fait que l'on dit de moi que je suis très changeante.

LUDOVIC — Julie est originaire de... *(Déjà Julie est prête à bondir et Ludovic s'en rend compte.)*... du plus beau petit pays. De Penouille en Gaspésie. Malheureusement, Penouille a été intégré au Parc Forillon et a perdu quelque peu de son autonomie. Depuis deux ans, Julie exerce son métier de secrétaire à Montréal et depuis trois semaines chez moi.

JULIE *n'aime pas prendre cette importance devant Hélène vers qui elle se dirige* — Donnez-moi votre valise, je vais la porter à votre chambre.

HÉLÈNE — Mais Ludovic peut le faire.

JULIE — J'y tiens, mademoiselle.

HÉLÈNE — Appelez-moi Hélène.

JULIE — La prochaine fois, oui.

Elle prend la valise d'Hélène et pénètre à l'intérieur de la maison. Moment de silence. Hélène regarde Ludovic avec un sourire à peine moqueur.

HÉLÈNE — Tu as toujours été un homme de bon goût, tu ne changes pas.

LUDOVIC — Elle m'est arrivée comme une fleur avec les annonces classées sous le bras. Je l'ai embauchée tout de suite. Mais avant tout pour sa compétence et sa vivacité.

HÉLÈNE — Bien sûr. Mais le reste n'a pas nui.

LUDOVIC — Dès que ma clavicule sera en condition, je me séparerai d'elle et... *(Il n'achève pas, on dirait qu'il est remué quelque peu.)* Quelle merveilleuse journée, hein!

HÉLÈNE — Tu te sépareras d'elle et puis?

LUDOVIC — Et puis je verrai. J'aurai à te parler très sérieusement, Hélène.

HÉLÈNE — Je l'espère. J'ai fermé ma boutique une semaine plus tôt que d'habitude et j'ai retardé mon voyage en Europe exprès pour répondre à ton invitation.

LUDOVIC *s'approche d'elle et lui entoure les épaules de son bras valide* — Hélène, je dois te dire...

Mais il n'achève pas. Julie sort de la maison. Elle s'arrête sur le porche dès qu'elle les voit et baisse les yeux. Ils ne l'ont pas vue.

HÉLÈNE — Habituellement tu fais des phrases complètes mon cher Loup.

LUDOVIC — Oui, mais il est encore trop tôt.

HÉLÈNE — Je suis venue ici pour la paix qu'on y trouve, est-ce que je devrai plutôt nager dans le mystère.

LUDOVIC *la presse contre lui* — Tu ne changes pas. Tu ne vieillis pas. Toujours la même grâce, le même parfum qui ne me quitte pas lorsque tu t'en vas.

Il aperçoit Julie, sourit et se détache d'Hélène. Julie a endossé sa veste de toile bleue, porte un sac de cuir sur son épaule et le dictionnaire de Ludovic sous son bras (Le Petit Robert). Elle va vers la table où se trouvent son cahier de notes et son crayon.

JULIE, *à Ludovic* — Vous permettez que j'apporte mes notes et votre dictionnaire?

LUDOVIC — Oui, mais vous n'allez pas travailler ce soir, vous n'avez pas la machine à écrire.

JULIE — Je veux simplement relire le début de l'histoire de Vincent et de Paula. Et puis... *(Montrant le dictionnaire.)* et puis m'instruire un peu. Ce sera comme une digression.

LUDOVIC — Vous êtes libre de l'emploi de votre temps, bien sûr.

JULIE — Merci.

Elle a déjà glissé le cahier de notes et le crayon dans son sac et va sous le saule chercher sa bicyclette.

JULIE — À quelle heure je dois venir demain?

LUDOVIC — Un peu plus tard que d'habitude si ça ne vous fait rien. À dix heures, ça vous va?

JULIE — Et votre petit déjeuner?

LUDOVIC — Je crois bien qu'avec Hélène, nous pourrons nous débrouiller... N'oubliez pas le courrier.

JULIE — Ça ne m'est arrivé qu'une fois... À demain... *(Elle avance quelque peu, à Hélène:)* À demain, Hélène.

HÉLÈNE *sourit avec un brin de nostalgie et prend Julie aux épaules* — Donne-moi ton âge et je te donnerai tout ce que je possède.

JULIE — Si c'était possible, mademoiselle.

HÉLÈNE — Hélène.

JULIE — Hélène oui.

HÉLÈNE *l'embrasse sur le front avec tendresse* — À demain.

Julie va sortir du côté opposé à celui par où Hélène est entrée, mais elle est aussitôt refoulée par l'entrée-surprise de René et Geneviève. René est une sorte de dynamo qui cesse rarement de fonctionner tandis que Geneviève est de la dynamite qui peut exploser ou faire sauter les cœurs à n'importe quel instant. Elle porte les deux valises: celle de son mari et la sienne.

GENEVIÈVE, *à René qui, sans le vouloir, a quelque peu bousculé Julie* — Tu ne pouvais pas faire attention, espèce de brute!

RENÉ — Mais je ne l'ai pas vue!... *(à Julie:)* Excusez-moi. Vous êtes?...

JULIE, *qui rit* — C'est la journée des collisions aujourd'hui. Ce n'est pas grave. Je m'appelle Julie.

Et elle sort.

RENÉ, *admiratif* — Pas laide, hein! Pas laide du tout!

GENEVIÈVE, *qui a l'habitude* — Tu n'en manques jamais une. Un étalon au printemps.

RENÉ *se tourne du côté de Ludovic* — Ludovic Santerre! C'est moi!

LUDOVIC, *qui ne manifeste pas trop de joie à le voir* — Je le vois. Comment se porte le bélier mécanique de la Manicouagan?

RENÉ — Parfaitement bien. Mais tu m'as souvent manqué. J'avais hâte de te serrer la main.

Il se dirige vers Ludovic la main tendue puis bifurque en direction d'Hélène dès qu'il l'aperçoit. Il lui prend les deux mains et les baise.

RENÉ — Je croyais que Ludovic se réfugiait à la campagne pour écrire ses chefs-d'œuvre, je me rends compte qu'il fait plutôt la culture des jolies files... *(À Ludovic:)* Il y en a encore d'autres? *(Ludovic ne répond pas, lui et Geneviève se regardent avec l'intensité de deux personnes qui se voient pour la première fois et qui se portent tout de suite de l'intérêt; René est charmé par Hélène et lui demande:)* À qui ai-je le plaisir?

HÉLÈNE, *amusée* — Hélène.

RENÉ — Quel rôle jouez-vous ici?

HÉLÈNE — Je ne sais pas encore, j'arrive à peine. Je suis dessinatrice de mode et je tiens une boutique pour dames rue Crescent à Montréal. Mes rapports avec Ludovic? Nous sommes des amis depuis plusieurs années.

RENÉ — C'est une amitié tout usage ou une vraie?... *(Éclate de rire.)* Moi, je ne crois pas en l'amitié entre un homme et une femme. *(Va vers Ludovic et lui serre la main assez brutalement pour le secouer.)* Sacré Ludovic!

LUDOVIC, *grimaçant à peine et froid* — Ma clavicule!

RENÉ — Oh! Pardon. *(Rit.)* Approche, Geneviève! Embrasse Ludovic! On s'est pas vu depuis au moins trois ans.

Geneviève s'exécute machinalement, mais sans paraître souffrir des manières grossières de son mari.

GENEVIÈVE — Je vous connaissais de réputation avant même qu'il ne me parle de vous. J'ai lu tous vos romans.

LUDOVIC — Je n'en ai écrit que deux et la critique les a massacrés.

GENEVIÈVE — J'ai dû les lire plusieurs fois alors. *(Va vers Hélène et l'embrasse sur les deux joues.)* Je descends à Montréal une fois par mois. J'irai à ta boutique. Tu dessinerais des choses pour moi?

HÉLÈNE, *qui n'est pas certaine d'aimer ce tutoiement familier à la première rencontre* — Élancée et foudroyante comme vous l'êtes, ce serait facile et agréable. Mais il y a de grands couturiers à Montréal qui pourraient vous faire des choses drôlement jolies.

RENÉ, *à Ludovic, parlant de Geneviève* — Qu'est-ce que tu penses de ma nouvelle?

LUDOVIC — Bon. Je vais enfin apprendre quelque chose de précis à son sujet.

RENÉ — J'ai répudié Simone il y a deux ans et demi. J'ai obtenu mon divorce et j'ai épousé Geneviève. C'est ma meilleure.

LUDOVIC — Et les enfants?

RENÉ, *comme s'il s'agissait de choses banales* — Bah! Je les ai donnés à Simone, elle les voulait. Moi je n'aurais pas su quoi faire avec. Geneviève non plus. J'ai une joyeuse pension alimentaire à payer par exemple! Mais je suis passé de l'Hydro à l'Iron Ore, j'ai déménagé à Sept-Iles.

LUDOVIC — Tu as fait ça!

RENÉ — L'entreprise privée, c'est pas si mauvais, Ludovic. Pour le compte en banque en tout cas.

LUDOVIC — Si ta femme n'était pas là, je dirais que tu es une belle putain, mon vieux.

HÉLÈNE, *comme un doux reproche* — Ludovic!

RENÉ — Peut-être. J'aimais bien travailler sur le projet de la Rivière-aux-Outardes, j'aurais aimé partir pour la Baie James, mais je me suis rangé du côté le plus solide. Du côté du fer. Du côté du Mont Wright. De Port-Cartier, de l'I.T.T.

LUDOVIC — Du côté des assassins d'Allende quoi! Du côté de la C.I.A. du Chili. Du côté de ceux qui rasent la Côte Nord des forêts qui ont mis cinquante ans à pousser de peine et de misère. Si ta femme n'était pas là, je dirais que tu es aussi une belle salope.

RENÉ *rit, car cela ne l'atteint pas* — La Côte Nord est riche. Il faut l'exploiter à fond, c'est un travail de géant. Comme à Manic 5.

LUDOVIC — Non.

RENÉ — Il n'y a que les intérêts qui changent.

LUDOVIC — Si ta femme n'était pas là je dirais que tu es un chacal.

RENÉ — Peut-être, mais un chacal géant.

LUDOVIC — Si ta femme n'était pas là...

RENÉ — Elle y est, alors change de refrain. *(Indiquant la rivière avec mépris.)* Qu'est-ce que c'est que ça?

LUDOVIC — La Yamaska.
RENÉ — Pity!
LUDOVIC — Elle coulait avant que tu y sois, elle coulera quand tu n'y seras plus.
RENÉ — Parlant de coulage, il faut reconstruire le pont sur le ruisseau.
LUDOVIC — Je suis en pourparler avec la mairie.
RENÉ — Laisse la mairie. Je m'en charge. Toi et moi et un bon homme du village qui n'a rien à faire. Dans trois jours, on ne traversera plus le ruisseau sur des planches ou des troncs d'arbre. Tu as des fonds?
LUDOVIC — Non. Et...
RENÉ — Tu vas les trouver. Ponds-nous quelque chose cette nuit et appelle un acheteur, le reste je m'en charge.
LUDOVIC — D'abord je ne suis pas une poule et je n'écris pas la nuit. Julie ne prend la dictée que le jour.
RENÉ — Le p'tit trésor que j'ai failli renverser en arrivant? J'imagine qu'elle doit avoir tout le village à ses trousses la nuit... *(Éclate soudainement de rire.)* Moi j'aurais aimé te voir au fond du ruisseau assis dans ta bagnole quand le pont a cédé.
LUDOVIC — Il n'y avait rien de drôle.
RENÉ — Tu devais être soûl comme un vieux cheval.
LUDOVIC — J'avais bu un verre ou deux à l'auberge.
RENÉ — Combien?
LUDOVIC — Disons cinq apéritifs, pas plus.
RENÉ — Mettons sept. Ensuite.

LUDOVIC — Une bouteille de «Puits d'amour» en mangeant.

RENÉ — Et au moins quatre ou cinq cognacs pour finir.

LUDOVIC — Non six.

RENÉ — Alors, je répète ce que j'ai dit: tu devais être drôle à voir.

LUDOVIC — Mais veux-tu me dire ce que tu es venu faire ici exactement?

RENÉ — Tu le vois. Te présenter ma nouvelle. Me prélasser quelques jours avant de retourner sur la Côte Nord. Mais dans l'état actuel des choses, je vais plutôt construire un pont. *(Sous l'impulsion du moment.)* Mais tu ne parles pas beaucoup, Hélène.

HÉLÈNE — Ni votre femme.

GENEVIÈVE — Moi, je n'ai jamais rien à dire, tu sais.

RENÉ — Et elle est heureuse comme ça. Moi aussi. *(À sa femme:)* Mon cœur, entre les valises qu'on s'installe.

GENEVIÈVE — Mais dans quelle chambre? Je ne sais pas moi!

LUDOVIC, *visant René* — Je n'ai pas mes deux bras, mais je vais m'en charger.

RENÉ — Je ne veux pas. C'est «l'année de la femme». Je suis en faveur qu'elles deviennent nos égales.

HÉLÈNE — Vous êtes un homme étonnant. Vous pouvez dire les choses les plus inattendues, les plus grossières même, et l'on vous pardonne.

RENÉ — Je suis un bâtisseur de pays, je ne fais

pas de littérature. Mais tu me connaîtras mieux d'ici quelques jours. Geneviève n'est pas du tout jalouse *(À Ludovic:)* et moi non plus. Nous allons avoir beaucoup de plaisir à quatre. *(À Geneviève:)* Les valises, trésor. À cinq, si la p'tite Julie est de la fête.

Geneviève très naturellement ramasse les valises, mais tout de suite Hélène s'interpose et lui en retire une.

HÉLÈNE — Si nous devons être leurs égales, c'est-à-dire descendre à leur niveau, nous allons partager l'humiliation.

GENEVIÈVE — Mais je ne suis pas du tout humiliée.

HÉLÈNE — Vous aussi, vous m'étonnez.

GENEVIÈVE — Je ne sais rien faire de mes mains, ni la vaisselle, ni la couture, ni le ménage, ni la cuisine, parce que personne ne m'a jamais rien appris sinon de faire l'amour. Alors je porte des valises et je fais l'amour, mais faut pas m'en demander plus.

HÉLÈNE — Votre vie est claire comme le cristal.

RENÉ — C'est ça, rien de compliqué avec elle. Tandis qu'avec mon «ex», c'était tout le temps le grabuge.

HÉLÈNE, *à Ludovic* — Je les installe dans la petite suite du haut?

LUDOVIC — Oui. La femme de ménage est passée il y a deux jours.

HÉLÈNE, *à Geneviève* — Venez.

GENEVIÈVE *hésite, minaudant, les yeux fondant en direction de Ludovic* — À tout à l'heure.

Les deux femmes pénètrent dans la maison. Un silence, que René rompt le premier.

RENÉ, *attendri et compatissant* — Mais tu as l'air tout contrarié, Ludovic.

LUDOVIC, *loin de dire le fond de sa pensée, mais tout de même un peu amer* — Mais pas du tout, voyons.

RENÉ — Tu n'es pas heureux de me revoir après un si long temps?

LUDOVIC — Je suis très très heureux. Mais le téléphone ça existe, la porte et les services de télégramme aussi. Tu aurais pu me prévenir.

RENÉ — Ah! Je suis pas le genre à faire des cérémonies. J'aime faire des surprises.

LUDOVIC — Tu les réussis bien.

RENÉ — Rappelle-toi là-bas, en haut de la Manic. Tu étais venu, pour une secousse, écrire un p'tit reportage de cinéma et tu es resté six mois. Rappelle-toi. Les brosses du tonnerre qu'on virait ensemble quand on descendait à Baie Comeau. Les parties de cartes avec les gars du chantier, les parties de fesses avec les deux sœurs jumelles de Hauterive. Jésus-Christ qu'on a eu du bon temps!

LUDOVIC, *qui se laisse gagner* — Oui, c'est vrai.

RENÉ — Ça t'a manqué depuis que t'es revenu à ta civilisation, je suis certain que ça t'a manqué. T'as vieilli un peu Ludovic.

LUDOVIC — C'est que là-bas aussi il me manquait quelque chose.

RENÉ — Tu n'avais qu'à le dire.

LUDOVIC — Quelque chose que personne ne

pouvait me redonner. Le goût d'écrire. Je n'avais plus envie d'écrire et je n'étais plus personne. Je perdais ma vie. C'était beau, c'était grand là-bas, mais je n'avais plus ni contrainte, ni discipline, ni motivation. Je regardais les géants construire leur cathédrale et j'avais de l'admiration pour eux, mais mon œuvre à moi, ma pauvre petite œuvre était à la dérive. Tu comprends ?

RENÉ — Non, mais ça ne fait rien. Moi vois-tu, je ne comprends que ce que je veux et je ne regrette jamais rien. C'est comme ça que je suis heureux.

LUDOVIC — Moi, je me contente de certains moments. Que ce soit court ou long ce n'est pas grave, l'important c'est que la vie me paraisse parfois souhaitable éternellement. Et puis j'aime faire des projets ou des plans... *(Furieux.)* Mais je n'aime pas qu'on dérange mes plans et c'est ce qu'on a fait toute la journée aujourd'hui.

RENÉ *éclate de rire* — Ce n'est pas si triste que ça Ludovic. Ce soir tu vois, on va s'amuser. Tu ne connais pas Geneviève ! C'est un bijou, avec elle tout est simple. Hélène me semble être une femme rare ; tous les quatre, on doit avoir assez d'imagination pour virer la région à l'envers... Bon, je monte prendre une douche. Oublie pas, Ludovic, demain on construit un pont. Tu n'auras pas le temps de t'ennuyer une seconde... *(Il va entrer dans la maison, mais s'arrête.)* Ton bar est bien garni ?

LUDOVIC — Il ne manque rien.

RENÉ, *triomphant* — Parfait !

Et il disparaît dans la maison.

LUDOVIC, *au bord du désespoir ou de l'impuissance* — Un pont !... Nous allons construire un pont !... Un pont en trois jours ! ... Et le pire c'est qu'il est sérieux !

Rapidement l'éclairage s'éteint sur Ludovic immobile, éploré.

Deuxième tableau

«Quatre jours plus tard, c'est le solstice d'été. Maintenant qu'ils se sont trouvés, les personnages se cherchent.»

Plein soleil sur Julie, seule en scène qui tape un ancien texte de Ludovic à la machine. Parfois, elle lit des bouts de phrase à voix haute en y mettant une certaine intonation, quelques sentiments.

JULIE — ...« Pourquoi, Evelyn, jouons-nous depuis si longtemps à nous éloigner l'un de l'autre alors que tout devrait nous rapprocher... » *(Se tait et continue, silencieuse pendant un certain temps, à taper.)*... « Un jour, les événements, le mauvais hasard, nous sépareront pour toujours et chacun de son côté, nous nous retrouverons terriblement seuls... »

Paraît Hélène au fond, à gauche, un livre et un sac de plage à la main, vêtue d'un maillot de bain et d'un long peignoir léger qui a la transparence du jour. Elle remonte du nord de l'eau où elle a pris du soleil et s'est baignée. Elle contourne la véranda lentement, pensive, et s'approche de la table de jardin où Julie travaille.

HÉLÈNE — Tu fais de longues journées!

JULIE — Je ne m'en rends pas compte. Monsieur Santerre m'a donné ce qu'il appelle « de vieux manuscrits » à recopier. Il m'a dit que c'était urgent, qu'il aimerait signer deux contrats avec son éditeur la semaine prochaine.

HÉLÈNE — À cause du pont que René lui a mis dans la tête de reconstruire. Depuis quatre jours qu'ils y travaillent du matin au soir avec leur engagé et qu'ils nous négligent, Geneviève et moi... Ils sont aussi terribles que des enfants.

JULIE — Qu'on vous néglige vous, je ne le comprends pas, mais quant à elle... *(N'achève pas.)* C'est autre chose.

HÉLÈNE, *qui a ramassé les feuillets déjà copiés sur la table, lit le titre de l'œuvre, mais avant de nous en faire part, met gentiment Julie en garde* — Il ne faut pas la juger trop vite. J'aimerais que tu aies le temps de la connaître un peu mieux. *(Lit.)* « Lettres de jour et de nuit à une femme lointaine » *(Tourne au deuxième feuillet.)* Il les a écrites il y a cinq ans si je dois me fier à la date de la première lettre.

JULIE — Il m'a dit qu'il n'avait jamais connu cette femme, qu'il l'avait simplement imaginée. Mais moi j'ai mon idée.

HÉLÈNE — Ah oui? Tu crois que les auteurs se racontent eux-mêmes derrière ce qu'ils appellent leur fiction? Et qu'ils s'inspirent de personnes qui traversent leur existence?

JULIE — Oui. Tout le temps que je copie, je ne peux m'empêcher de penser à vous. La femme lointaine, c'est vous.

HÉLÈNE *sourit* — N'en sois pas trop certaine. *(S'arrête à un feuillet au hasard.)*... « Je passerais ma vie dans la même prison et dans la même cellule que vous, mais vous ne pourriez pas faire de même et aller jusqu'au bout avec moi. Un jour l'ennui ou la peur vous étranglerait et vous prendriez la fuite seulement pour voir ce qui se passe ailleurs et peut-être rencontrer d'autres hommes qui ne demanderaient pas mieux que de vous aimer d'une autre manière.» *(Sourit, songeuse.)* Prêter aux autres ses propres sentiments, ses propres craintes, on appelle ça «faire de la projection», Julie... Je crois savoir pourquoi il m'a invitée ici d'une façon si pressante. Ce n'est pas pour revivre des moments heureux que nous avons passés ensemble, mais pour me demander en mariage. Seulement, il ne le fera pas.

JULIE — Il est très seul. Et il se retrouvera encore plus seul. Pourquoi refuse-t-il d'être heureux.

HÉLÈNE — Il refuse que les choses qu'il aime aient une fin. Et c'est ce qu'il craint le plus au monde... Geneviève est rentrée?

JULIE — Oui.

HÉLÈNE — Elle est déjà bronzée comme une déesse. Depuis la première journée... Cesse de travailler, Julie...

JULIE — Tout à l'heure.

HÉLÈNE — Repose-toi, prends un peu de soleil, bientôt le jour va commencer à baisser.

JULIE — Oui.

Hélène lui caresse la joue du revers de la main, puis avec lenteur, pensive, se dirige vers la maison où elle entre. Julie rêve un moment, puis se remet au travail. Mais à peine a-t-elle repris, que Jules paraît sous la tonnelle à l'entrée du parc.

JULIE, *qui lit une bribe du texte* — « Il commence à se faire tard, ma chérie... » *(Aperçoit Jules.)* Non pas lui ! Pas toi !
JULES — Il est là ?
JULIE — Non.
JULES — J'ai fait un détour par le sous-bois pour ne pas le rencontrer au pont du ruisseau... Tu lui as parlé ?
JULIE — Non.
JULES — Hier soir, quand je t'ai vue au village, tu m'as dit que tu essaierais d'intervenir.
JULIE — Je n'ai pas essayé.
JULES — Pourquoi ? Tu as changé d'idée ?
JULIE — Je n'avais pas envie... Présentement, il se fait du souci pour bien des choses.
JULES — C'est un bourgeois égoïste qui ne pense qu'à sa minable personne. Il n'écrit plus que pour maintenir sa réputation surfaite et garnir son compte en banque. Ils sont tous pareils quand ils ont réussi. Mais j'ai préparé une stratégie pour le pousser au pied du mur.
JULIE *sourit, amusée* — Si tu t'y prends de la même façon qu'à ta première visite, tu risques d'avoir sa main dans la figure.
JULES — Tu crois que j'ai peur cette fois-là ? Je n'ai fait qu'une retraite diplomatique, c'est tout.

Explosion de dynamite non loin. Jules sursaute et pâlit, mort de peur.

JULES — Qu'est-ce que c'est ça?

JULIE — Ils font un peu de dynamitage au ruisseau...

JULES — Des cons, quoi! Ils font les cons!... Je vais lui téléphoner dans deux ou trois jours en changeant ma voix. Je vais lui dire que j'appelle de Montréal et que je suis producteur de cinéma, que j'ai besoin d'un écrivain de métier pour le scénario et les dialogues d'un grand film et qu'il est le seul qui puisse faire le travail. Question de le flatter un peu, il va se laisser prendre au piège parce qu'il est foncièrement vaniteux.

JULIE — Ensuite?

JULES — Ensuite je vais lui fixer un rendez-vous à l'auberge en prétendant que j'y ai déjà séjourné, que la cuisine y est excellente, et je vais l'inviter à dîner. Après s'être laissé avoir par la vanité il va mordre à l'appât du ventre. Une soirée qui ne lui coûtera rien, une proposition intéressante en perspective, l'affaire est café.

JULIE — Ensuite?

JULES — Ensuite, le producteur ne se présentera pas, évidemment, mais moi je serai là. J'aurai fait des arrangements avec le garçon de table qui me traitera comme un habitué. Ça me donnera de l'importance. Et puis j'attendrai le moment psychologique.

JULIE — Pour faire quoi?

JULES — Pour passer à l'attaque. Pour lui tenir compagnie. Je lui ferai savoir que moi aussi j'ai été invité par un producteur de Montréal qui porte comme par hasard le même nom que j'aurai donné au téléphone. Il croira alors que des gens importants s'intéressent aussi à moi.

JULIE — Et après ?

JULES — Je lui offrirai un premier p'tit verre et puis un deuxième pour l'aider à patienter. Ça boit encore de l'alcool cette race-là, c'est encore loin d'avoir découvert la « mari » et le « hash »... Une fois qu'il sera vaguement euphorique, je porterai le grand coup, je lui dirai : « Écoute, bonhomme, si tu t'imagines que t'es le nombril du monde t'es sur la mauvaise « track », moi je vais t'ouvrir les yeux parce qu'il est temps que tu te rendes compte que les nouvelles générations ont tout changé, que la planète tourne un peu plus vite chaque jour et que...

JULIE, *très impatiente, brise son envolée* — Tu m'en as assez dit. Je suis fatiguée de t'entendre. Je ne t'aiderai jamais à le revoir parce que tu ne comprendras jamais rien à rien. Retourne chez toi ou ailleurs, j'ai mon travail à terminer.

JULES, *piteux* — Ce n'est pas une bonne idée ?

JULIE — Oh oui ! Aussi bonne que celle de l'autre jour.

JULES — Je vais penser à autre chose alors... Tu es libre demain soir ?

JULIE — Non.

JULES — C'est la Saint-Jean-Baptiste.
JULIE — Je le sais.
JULES — Qu'est-ce que tu fais ?
JULIE — Rien.
JULES — Bon... Bon, je pense que ce coup-là j'ai compris... Mais quand même, on se verra peut-être, on sait jamais... *(Pitoyable.)* On sait jamais... Des fois c'est con la vie, mais on sait jamais...

Il bat en retraite et s'en va. Julie semble un peu fatiguée, elle secoue la tête avec pitié et soupire. Paraissent Hélène et Geneviève, vêtue avec beaucoup de fraîcheur et portant bouteilles, chaudière de glaçons et carafe d'eau pour l'apéritif. Elles déposent le tout sur une petite étagère qui sert de bar près d'une touffe d'arbustes. Elles sont décontractées, à l'aise et plus que ravissantes. Tandis que Geneviève dispose les bouteilles sur l'étagère, Hélène va à Julie.

HÉLÈNE, *qui tire délicatement la feuille de papier que Julie venait d'enrouler dans la machine à écrire* — C'est tout pour aujourd'hui.
JULIE — Mais je ne suis pas syndiquée, vous savez !
HÉLÈNE — Tu vas prendre un verre avec nous deux.
JULIE — Vous pensez que c'est correct ?
HELENE — Oui.

Julie se prépare à ranger ses choses.

HÉLÈNE — Tu rangeras ça tout à l'heure.

JULIE — Bon.

Elle se lève et suit Hélène.

GENEVIÈVE, *à Hélène* — Je te prépare le même cocktail qu'hier?

HÉLÈNE — S'il te plaît.

GENEVIÈVE — Toi Julie?

JULIE — Quelque chose de pas trop fort parce que la tête va se mettre à me tourner et puis je vais dire toutes sortes de stupidités.

GENEVIÈVE — Je passe ma vie à dire des stupidités, René m'aime quand même. Ce n'est pas ce que je dis qui l'intéresse. D'ailleurs ça me serait égal de ne pas parler. Du moment que je me sens bien dans mon corps c'est l'essentiel. René pense la même chose que moi. Ensemble, nous sommes portés à fuir les gens civilisés parce qu'ils se compliquent la vie...

Tout en parlant elle a préparé les cocktails et servi Hélène et Julie. Maintenant elle emplit son propre verre.

HÉLÈNE — Sa philosophie est simple, Julie. Ne pas se poser de questions, ne s'intéresser qu'à l'évolution et à la beauté corporelles du genre humain. Ce sont deux êtres qui ont sublimé les imperfections même de leur nature et qui ont choisi un pays préhistorique pour vivre heureux.

GENEVIÈVE — Quand on analyse trop les gens, on les émiette...

HÉLÈNE — À moins qu'on ne les comprenne et qu'on ne les aime davantage.

GENEVIÈVE — Moi, je n'ai jamais demandé à être comprise. Nous ne partagerons jamais les mêmes points de vue, Hélène. Je pense que pour nous deux, il serait beaucoup plus facile de partager les mêmes hommes.

HÉLÈNE — Le problème est que je suis entièrement libre et qu'il n'y a donc aucun homme dans ma vie que je puisse partager.

GENEVIÈVE — Même pas Ludovic ?

HÉLÈNE — Même pas.

GENEVIÈVE — Si c'est vrai, ça joue à ton avantage... Il y a quelqu'un dans ta vie, toi, Julie?

JULIE *hésite une fraction de seconde* — Non, personne... Est-ce qu'on peut boire maintenant ?

HÉLÈNE — Mais oui.

GENEVIÈVE — Et si la tête te tourne laisse-la tourner, ce n'est pas ça qui va empêcher les hommes de tourner autour de toi. René m'a dit une nuit que j'étais plus désirable quand j'étais ivre que lorsque j'étais au naturel. Au naturel je fais déjà bien l'amour, ivre, je suis du tonnerre... paraît-il. Tu fais l'amour toi Julie ?

HÉLÈNE — Ne réponds pas. Elle triche. Elle n'est pas sensée se préoccuper de l'intimité des autres.

GENEVIÈVE — Les filles font l'amour à quatorze ans aujourd'hui, mais il y a des exceptions... On lève notre verre à la santé de qui, de quoi ?

HÉLÈNE — De l'été, pourquoi pas ! Des jours les

plus longs de l'année. De Julie qui vient à peine de faire son entrée dans le monde des adultes... J'espère qu'elle n'en sortira pas déçue.

Bruit d'une forte explosion loin de là. Alors qu'elles allaient porter leur verre à leurs lèvres, elles hésitent et se regardent toutes trois en souriant, puis boivent.

HÉLÈNE — J'étais venue ici passer quelque jours de tranquillité.

GENEVIÈVE — Tu n'es pas chanceuse. Quand René se trouve quelque part, personne n'est tranquille. Quand il a une idée en tête c'est la même chose. Il a la volonté d'un «bulldozer», il éprouve de la volupté à déplacer des montagnes. Il n'a pas de limite.

JULIE — Vous n'essayez pas de le raisonner des fois ?

GENEVIÈVE — Jamais. J'ai toujours eu besoin d'un homme comme lui. S'il me laissait je m'empresserais d'en trouver un autre qui lui ressemble. J'aurais trop peur de m'ennuyer.

HÉLÈNE — Il est le pôle contraire de Ludovic qui s'est pourtant laissé subjuguer très vite et qui n'agit plus que sous sa dépendance. *(Le téléphone sonne sous le saule.)* Tiens !... Il a même cessé d'écrire, il s'en remet à ses fonds de tiroirs, à ses vieux manuscrits pour se tirer d'affaire.

Julie est allée sous le saule pour répondre à l'appareil.

JULIE — Allo!... Pardon?... Non, il n'est pas ici en ce moment... Qui?... *(Long silence.)* Oui, je suis toujours là, monsieur le secrétaire... Oui... Oui... Je vais lui faire le message, merci...

On l'entend raccrocher. Un instant elle reste immobile sous le saule, puis reparaît, presque bouleversée.

HÉLÈNE — Une mauvaise nouvelle?

JULIE — Je pense, oui.

GENEVIÈVE, *très calme* — Qui téléphonait?

JULIE — Le secrétaire de l'Hôtel de Ville. Le maire réunit ses conseillers ce soir pour discuter de l'affaire du pont. Paraît qu'ils ne sont pas contents du tout et qu'ils veulent intenter un procès à Monsieur Santerre.

HÉLÈNE — Pour quelles raisons?

JULIE — Parce que l'eau monte et commence à déborder sur les terrains en haut du ruisseau. Ils ont construit un barrage temporaire, vous savez, sans penser à creuser un... un quoi qu'il m'a dit? Ah oui! Un canal de dérivation. J'en avais entendu parler au village ce matin, Monsieur Beaupré craignait de voir son sous-sol inondé. Sa maison est tout près du ruisseau...

GENEVIÈVE — Avec René, ça bouge. Il est pour le progrès, il se fiche des plaignards rétrogrades.

HÉLÈNE — Mais ce n'est pas lui qui aura à payer.

GENEVIÈVE — Il paie de son génie, de son esprit d'initiative.

HÉLÈNE — Mais, mon Dieu! ton admiration pour lui est sans bornes!

GENEVIÈVE — Je ne dirais pas ça. Je ne suis qu'une femme et j'ai malheureusement mes limites.

Julie est devenue nerveuse. Elle ramasse les papiers de Ludovic qu'elle mettra ensuite dans son sac avant d'aller à la maison porter la machine à écrire.

HÉLÈNE — Ils travaillent plus tard que de coutume, tu ne trouves pas?

GENEVIÈVE — Ils doivent mettre les bouchées doubles.

HÉLÈNE — J'espère que Ludovic ne prend aucun risque avec sa clavicule.

GENEVIÈVE — Ce soir, on va leur faire une fête, ils l'ont bien mérité.

HÉLÈNE — Mais on leur en fait une tous les soirs. Et elles se ressemblent toutes. Il n'y a jamais rien de neuf. Ton mari essaie de coucher avec moi et Ludovic te fait la cour sachant qu'il n'ira jamais jusqu'au bout parce qu'il se sent coupable vis-à-vis moi.

Julie est reparue sur les dernières phrases d'Hélène qu'elle a bien captées.

GENEVIÈVE — Que les femmes s'intéressent à eux, ça leur fait toujours plaisir, c'est toujours nouveau. C'est la seule psychologie des hommes que je connaisse et je ne veux pas en savoir davantage.

HÉLÈNE — On ne leur fera pas de fête. C'est à eux d'y penser ce soir. Moi je ne lèverai pas le p'tit doigt pour faire plaisir à l'un ou à l'autre.

GENEVIÈVE — C'est une brillante idée.

JULIE, *qui a bu son verre* — Si je partais, Hélène, est-ce que vous lui feriez le message pour l'Hôtel de Ville ?

HÉLÈNE — Bien sûr, mais... *(Les voit venir.)* Je pense que leur journée est terminée.

Entrent René et Ludovic, les mains et le visage sales de terre. René a le torse nu et ruisselle de sueur. Il a noué sa chemise autour de son cou et porte sur l'épaule deux pelles et un râteau. Il paraît en pleine forme tandis que Ludovic sent le poids de la fatigue. Ludovic n'a plus le bras en écharpe. René prend la taille de Julie qui était sur le point de sortir.

RENÉ — Tu te sauves toujours, toi !

JULIE — Non, c'est un adon... *(à Ludovic.) Hélène* a un message important pour vous.

LUDOVIC — Vous êtes avancée dans le travail ?

JULIE — J'achève les lettres.

LUDOVIC — Ne venez pas demain, je vous donne congé.

JULIE — Mais pourquoi ? Qu'est-ce que vous voulez que je fasse d'un congé ? Je n'aime pas tellement rester toute seule à l'auberge.

LUDOVIC — C'est la Saint-Jean, Julie.

RENÉ — C'est la Saint-Jean et tu es invitée au feu d'artifice *(L'attire à lui.)* Contente ?

HÉLÈNE, *en même temps que Julie se dégage de l'étreinte de René* — Quel feu d'artifice?

RENÉ — C'était ma surprise. Ludovic paie la dynamite pour le pont, moi, les pétards demain soir. *(À Julie:)* Reste aussi jolie jusqu'à demain soir, on va se payer un bon moment.

JULIE *réussit à sourire* — Oui. *(À Ludovic:)* Mais à condition que je travaille dans la journée...

LUDOVIC — D'accord Julie, tu termineras «les lettres» et je te donnerai une ancienne nouvelle que j'avais oubliée. Ça va peut-être intéresser Châtelaine.

JULIE — Merci... *(Les regarde tous rapidement.)* Bonsoir.

RENÉ — À demain mon cœur.

HÉLÈNE — Repose-toi, Julie.

GENEVIÈVE — Amuse-toi surtout.

Julie est sortie. Fraction de seconde de silence.

RENÉ — Bon! C'est pas fini, Ludovic. La douche, la toilette de sortie et à l'auberge!

GENEVIÈVE ET HÉLÈNE — Vous nous emmenez dîner?

LUDOVIC, *maladroit* — C'est-à-dire que...

RENÉ, *bref ou carré* — Non.

HÉLÈNE — Ils ont décidé de sortir entre hommes, tu le vois bien.

LUDOVIC — Nous n'avons rien décidé. René a décidé.

HÉLÈNE — Mais ils se réunissent à la mairie et...

RENÉ — On est au courant. Il y a aussi les riverains des alentours qui font leur p'tit meeting à l'auberge, c'est ce qui nous intéresse Ludovic et moi.

Il adresse un clin d'œil sans équivoque à Ludovic qui sourit, un peu fatigué, et pénètre dans la maison.

LUDOVIC, *avant d'entrer* — Tu m'excuseras, Hélène...

HÉLÈNE — Bien sûr.

RENÉ, *à Geneviève* — Tu ne m'embrasses pas, ma poule?

GENEVIÈVE — Mais oui. Tu es tellement distrait par Julie quand elle est là. *(Elle lui entoure le cou et l'embrasse.)* Je n'ai déjà plus l'âge de Julie.

RENÉ — Mais t'as autre chose.

GENEVIÈVE, *sans le dédaigner* — Tu sens la sueur.

RENÉ *rit* — La sueur, le tabac, la bière et la dynamite. Et puis je suis crotté comme un vieux cheval de labour. Tu m'aimes?

GENEVIÈVE — Tu le sais bien. Tel que tu es.

RENÉ — On a fait sauter deux souches d'arbre, on a nettoyé le lit du ruisseau à l'os et puis on a installé les deux pipes de drainage, six pieds de diamètre chacune.

GENEVIÈVE, *admirative* — Les deux pipes de drainage, c'est merveilleux!...

RENÉ — On a aussi rembourré le fond, on a coulé un peu de ciment et demain il va nous rester deux choses à faire: dynamiter le barrage, enlever le bouchon comme on dit et couvrir les pipes de drainage d'un remblai. Si Ludovic veut des garde-fous, il se les installera, moi mon travail de génie sera terminé. Je vais pouvoir m'occuper de toi.

GENEVIÈVE — Mais tu t'occupes toujours de moi... à ta façon !

RENÉ — T'as le « spirit », garde toujours le même « spirit », tout va bien aller... Excusez-moi, mesdames, je vais me déguiser en monsieur.

Et il entre dans la maison. Court moment de silence.

HÉLÈNE, *qui se sert à boire à volonté, comme Geneviève d'ailleurs* — Geneviève !

GENEVIÈVE — Quoi donc ?

HÉLÈNE — Qu'est-ce que c'est que des pipes de drainage ?

GENEVIÈVE — Des pipes de drainage ?... Je sais pas moi.

HÉLÈNE — Ah ! Bon... Commences-tu à te sentir bien ?

GENEVIÈVE — Je me sens toujours bien.

HÉLÈNE — Je parle des cocktails que je me surprends à consommer aussi vite que toi.

GENEVIÈVE — Ils m'apportent un bien-être supplémentaire.

HÉLÈNE — Moi aussi. J'aurais envie de boire beaucoup ce soir et de faire une grande folie !

GENEVIÈVE — Quelle folie ?

HÉLÈNE — Je ne sais pas. Je ne peux pas tromper Ludovic parce qu'il n'est pas réellement mon amant.

GENEVIÈVE — Mais tu pourrais accepter les propositions de mon mari qui serait fou de joie et tu verrais ensuite de quelle façon Ludovic réagirait.

HÉLÈNE — Tu ne serais pas jalouse?

GENEVIÈVE — René et moi nous ne sommes pas jaloux.

HÉLÈNE — Alors ce ne serait pas une folie si personne n'est jaloux ensuite.

GENEVIÈVE — Il faut trouver autre chose... Je l'ai! Nous devrions aller à l'auberge, nous aussi. Arriver après eux et les ignorer complètement. Une fois sur les lieux nous verrions ce qu'il y a à faire. Nous sommes deux beaux gibiers, il y aurait plein de chasseurs intéressés.

HÉLÈNE — Tu es gentille de m'aider, mais je ne trouve pas l'idée trop attrayante. En plus, ils pourraient bien ne pas se trouver à l'auberge, mais ailleurs, en train de courir des proies nouvelles avec leur engagé. C'est un garçon terrible, paraît-il, leur engagé. Julie m'a dit qu'il avait mis trois filles différentes enceintes, seulement dans Sainte-Rosalie.

GENEVIÈVE — Mon Dieu! Ça doit être un étalon superbe. Je comprends pourquoi ils ne l'ont jamais amené jusqu'ici.

HÉLÈNE — Si des gens nous entendaient, ils diraient qu'une seule chose nous intéresse dans la vie: les hommes et la couchette.

GENEVIÈVE — En ce qui me concerne, c'est vrai. Tout commence et tout finit là. Sans la couchette nous ne serions même pas ici pour en parler.

HÉLÈNE — Mais il y a autre chose aussi... Pourquoi revenons-nous toujours sur le même sujet ?

GENEVIÈVE — C'est dans ma nature. Quand je suis quelque part, j'inspire les gens, ils finissent infailliblement par en parler. Le sexe, ma chère Hélène, est devenu la principale activité des générations montantes. C'est pour ça que les enfants raffolent des cours de sexologie. Ça va les aider à faire leur chemin sans problème dans la vie.

HÉLÈNE — Je n'y crois pas du tout. Le cours des événements peut tout changer du jour au lendemain. Regarde Julie. Elle fait partie des générations montantes, elle a à peine vingt et un ans et le sexe n'est pas sa préoccupation première. Elle pense à l'amour sans doute...

GENEVIÈVE — C'est la même chose. L'amour finit toujours par se consommer au lit.

HÉLÈNE — À moins qu'il ne s'y consume.

Elles se servent un nouveau verre et en profitent un moment pour faire une pause avant de boire et de reprendre la conversation.

HÉLÈNE — Qu'est-ce que nous disions déjà ?

GENEVIÈVE — Je ne me rappelle plus. Je pense qu'il était vaguement question des hommes et des femmes.

Elles deviennent de plus en plus euphoriques et cela commence à paraître dans leur élocution.

HÉLÈNE — Il faut faire un effort, Geneviève, il faut que nous restions quand même assez lucides pour suivre une idée.

GENEVIÈVE — Si tu y tiens, je peux essayer, mais quand je bois, j'ai tendance à m'éparpiller et puis ça m'est difficile d'aller au bout d'une conversation. *(Aperçoit Ludovic qui sort de la villa, transformé sur le plan vestimentaire et fraîchement nettoyé.)* Mais comme il est beau !

HÉLÈNE *l'aperçoit à son tour* — Il est pas mal, c'est vrai.

GENEVIÈVE — Tu prends un verre avant de nous laisser tomber.

LUDOVIC — Rapidement par exemple. *(Ment mal.)* Je ne veux pas manquer le début du meeting. Nous voulons entendre tout ce qui se dira.

HÉLÈNE, *incrédule* — C'est très important !

Il la regarde et ne sait quoi dire. René sort à son tour de la villa, bien mis lui aussi et propre pour une sortie spéciale.

HÉLÈNE, *qui le voit la première* — Mais vous allez vous faire remarquer ! Je suis certaine que les riverains ne porteront pas de toilette de circonstance.

LUDOVIC — Mais Hélène, tu n'as pas l'air de nous croire quand...

HÉLÈNE — Je vous crois voyons. Je ne me souviens pas que tu m'aies déjà menti, Ludovic, même si tu n'as jamais eu de compte à me rendre.

RENÉ *se verse une forte rasade de gin et vide son verre d'un trait* — Mon Dieu que tu bois lentement, Ludovic !

LUDOVIC — Ou c'est toi qui bois trop vite, ivrogne !

RENÉ — Laisse ton verre, la bagarre nous attend là-bas. *(Prend soudainement Hélène dans ses bras.)* Si seulement tu étais mon genre, je me marierais une troisième fois.

HÉLÈNE, *provocante* — Avec moi ! Il n'est pas sûr que j'accepterais. Je ne suis pas une habituée, il n'y a jamais eu de première fois pour moi.

RENÉ — Parce que tu n'as pas voulu.

HÉLÈNE — Exactement. Et qu'est-ce qui te fait croire que je consentirais aujourd'hui ?

RENÉ — Pour Simone, pour Geneviève, il n'y avait pas eu de première fois non plus et elles ont cédé.

GENEVIÈVE — C'est vrai. C'est une brute, mais une brute irrésistible.

LUDOVIC — Sa triste inconscience le sert comme un bossu. Don Juan souffrait au moins de son instabilité, lui il en tire de la vanité.

GENEVIÈVE *se colle tout contre Ludovic* — Si vous rentiez tôt, nous pourrions inventer des jeux tout à fait fantaisistes.

LUDOVIC — Tu ne peux pas te passer de lui un seul soir ?

HÉLÈNE — Surtout de toi en ce moment. Tu es tellement séduisant.

RENÉ — Viens-t'en, mon grand, si tu restes plus longtemps, tu vas ramollir. Quand on est un homme, ça représente des inconvénients.

LUDOVIC *se dégage de Geneviève* — Profitez d'une soirée de liberté pour faire des choses différentes. Vous devez en éprouver le besoin.

HÉLÈNE — Oui, nous éprouvons surtout le besoin de vous savoir heureux et satisfaits. Bonne soirée.

RENÉ — Oubliez-nous, amusez-vous, les p'tites filles, pendant que nous allons essayer de faire entendre raison aux voisins de Ludovic.

LUDOVIC — Nous partons, mais ce n'est pas de gaieté de cœur au fond.

GENEVIÈVE — Si vous partez, partez...

HÉLÈNE — C'est si triste de voir un homme devenir coupable.

Ludovic a saisi et regarde Hélène, mais ne dit rien. René le frappe vigoureusement dans le dos pour l'entraîner.

LUDOVIC — Ma clavicule !

RENÉ — Je n'y pense jamais. *(À Geneviève et Hélène.)* Ciaô !

Ils sortent. Hélène et Geneviève se retrouvent seules une autre fois et gardent un bon moment de silence.

HÉLÈNE — Au fond, ils finissent toujours par décevoir, ils sont stupides.

GENEVIÈVE — Tu as tort de t'en faire, tu sais.

HÉLÈNE — Mais je ne m'en fais pas du tout, c'est une simple constatation.

Elles se servent à boire. Pendant la conversation qui suit entre Geneviève et Hélène, l'éclairage faiblira très lentement jusqu'à ce que les deux femmes se retrouvent entre chien et loup et que la lune fasse son apparition dans le ciel et se reflète dans la rivière.

HÉLÈNE, *qui trinque avec Geneviève* — À deux belles dindes laissées pour compte par deux mâles qui les prennent pour des autruches.

GENEVIÈVE, *qui rit* — C'est drôle de te voir agressive comme ça! Toi si douce.

HÉLÈNE — Je ne suis pas si douce! Je cesse de l'être quand on abuse de ma bonne foi.

GENEVIÈVE — Que tu dépasses la trentaine et que tu n'aies jamais été mariée me paraît incroyable.

HÉLÈNE — Je n'ai jamais été dupe du mariage. J'ai eu certaines aventures charmantes qui m'ont apporté une certaine forme de bonheur, mais qui ont toujours fini par sombrer dans la «domestication» des sentiments, dans la banalité de l'habitude. Les hommes, ma p'tite Geneviève, ne savent pas ce qu'est une vraie passion.

GENEVIÈVE — Le mien le sait. À sa façon.

HÉLÈNE — Mais non. C'est un garçon extroverti, mais...

GENEVIÈVE, *qui n'a pas compris* — Pardon? Comment tu dis ça?

HÉLÈNE — Extroverti. Il est ouvert, il ne vit pas replié sur lui-même, il ne joue pas à cache-cache comme Ludovic, mais j'ai des doutes sérieux sur la passion qu'il éprouve pour toi. Parce qu'il ne connaît, parce qu'il n'a jamais connu probablement que des secousses épidermiques. Il joue avec les femmes comme avec des bâtons de dynamite... Tu n'es que son petit ruisseau passager, Geneviève.

GENEVIÈVE, *légèrement touchée* — Mais c'est toujours ce que j'ai été pour les hommes. Depuis l'âge de dix-sept ans. J'ai vécu dans des pays difficiles, avec des hommes durs qui ne pouvaient m'apporter que ce qu'ils avaient. On ne remonte pas du fond du lit d'une rivière, des souterrains caverneux d'un barrage, ou d'un trou de mine, pour faire des phrases ou mettre des gants blancs.

HÉLÈNE — Ma pauvre Geneviève!

GENEVIÈVE, *devient agressive* — Ne me plains pas, je ne fais pas pitié.

HÉLÈNE — Ce n'est pas ce que j'ai voulu dire. Mais tu aurais peut-être mérité un meilleur sort, tu aurais pu avoir une vie moins rude. Tu es très belle et je sais que bien des hommes se sont roulés à tes pieds, mais toujours pour obtenir la même chose de toi.

GENEVIÈVE — Je n'avais rien d'autre à offrir. Je ne peux donner que ce que j'ai. Et puis j'ai été élevée par des parents pauvres qui se laissaient tondre la laine sur le dos. Je les ai laissés à l'âge de seize ans et je les ai oubliés. J'ai été séduite par des hommes forts qui ne se laissaient pas arrêter par les p'tites choses de la vie, qui fonçaient sur les obstacles, qui en sortaient vainqueurs et qui ne craignaient pas de changer de coin de pays quand ils voyaient qu'ils pourraient faire mieux ailleurs. Tu comprends ça?

HÉLÈNE — Mais oui, mais oui...

GENEVIÈVE — C'est comme ça que je suis heureuse.

HÉLÈNE — Vraiment?

GENEVIÈVE, *qui commence à faiblir* — Oui, vraiment... tu peux me croire... Je suis pas menteuse... Ah! je dis pas qu'on peut pas être heureuse autrement aussi...

HÉLÈNE, *qui cherche à la pousser au bout d'elle-même* — Autrement?... De quelle façon?

GENEVIÈVE — Je sais pas au juste... Et puis je me demande pourquoi je dis ça.

HÉLÈNE — Parce que tu as envie de le dire, ma soie...

GENEVIÈVE — C'est gentil de m'appeler ta « soie ».

HÉLÈNE — C'est une expression comme une autre.

GENEVIÈVE — Pour certaines femmes, la vie, c'est quelque chose de soyeux... Les hommes leur apporte la douceur, la tendresse... Ils ne les voient pas seulement comme des belles bêtes à monter. Ludovic par exemple...

HÉLÈNE — Il vieillit et il a peur... Il n'est pas conscient de tout ce qu'il pourrait encore donner.

GENEVIÈVE — Est-ce que tu l'aimes?

HÉLÈNE — Je ne sais pas. Avant que nous devenions des amis, nous avons eu une aventure ensemble qui a été très belle... Ensuite, il s'est ressaisi, il a pillé ses sentiments parce qu'il craignait que sa passion n'accapare toute sa vie et qu'il devienne incapable d'écrire... Il a fait marche arrière. C'était un peu lâche de sa part... Tu ne crois pas?

GENEVIÈVE — Qu'est-ce que je suis pour te donner une opinion. Je n'ai pas d'opinion, moi, je suis une bête. Est-ce qu'une bête peut penser?

HÉLÈNE — Ne sois pas triste,...

GENEVIÈVE — Je ne suis pas triste... pas triste du tout.

HÉLÈNE — Non, c'est vrai... Tu es comme l'heure... Oui!... Ce n'est plus tout à fait le jour, ce n'est pas non plus le soir... Tu n'es pas triste du tout... Tu es entre chien et loup.

GENEVIÈVE, *comme si c'était une grande découverte* — Oui, c'est ça... Entre le chien et le loup... Le chien c'est René... parce qu'il aboie très fort et le loup qui c'est?... Ludovic?... Oui peut-être... Le loup solitaire... «The lonesome wolf»... Il guette une proie... Depuis longtemps... Mais il est patient, il est rusé... Il sait, le vieux loup, qu'il va mettre la patte dessus, qu'il va la croquer... Le loup c'est Ludovic... moi, j'aimerais être sa proie.

HÉLÈNE — Comme tu es sotte!

GENEVIÈVE — Oui, c'est vrai... Sotte à faire pleurer... Mais est-ce que je pleure? Non, je ne pleure pas... *(Mais elle a commencé à pleurer doucement.)* Je ne pleure pas parce que je suis une bête...

HÉLÈNE — Il y a des bêtes qui pleurent, qui ont des plaintes déchirantes...

GENEVIÈVE — Mais pas moi... Tu vois, je suis trop endurcie pour ça... Personne ne me fera de peine...

HÉLÈNE — Même René quand il partira avec une autre femme ?

GENEVIÈVE — Pourquoi il partirait avec une autre femme ?... Un soir par-ci par-là, oui... Mais pour toujours ?

HÉLÈNE — Il a répudié sa première femme parce qu'elle commençait à vieillir... Elle était pourtant plus jeune que lui.

GENEVIÈVE — Mais il a quarante ans aujourd'hui !

HÉLÈNE — Crains les hommes de quarante ans, leur démon est plus monstrueux que jamais... Et toi, Geneviève, tu approches de la trentaine...

GENEVIÈVE — Ce n'est pas vieux...

HÉLÈNE — Dans un an ou deux, tu seras encore belle, mais il te trouveras usée... alors il changera encore, comme on change de voiture... C'est une fillette qu'il lui faudra.

GENEVIÈVE, *qui ne veut pas le croire* — Une mineure ?

HÉLÈNE — Peut-être pas... mais une petite chose pure, intouchée... comme Julie, tiens !...

GENEVIÈVE — Non... Tu dis ça par méchanceté, par jalousie !

HÉLÈNE — Ton homme est un bâtisseur, un faiseur de pays, qui rase des montagnes, qui noie ou qui détruit des forêts, qui crée des lacs... Mais qui a besoin de chair fraîche pour garder sa santé, pour se maintenir en forme... Quand la chair n'est plus fraîche, il va voir ailleurs...

GENEVIÈVE — C'est effrayant comme tu peux le détester!

HÉLÈNE — Non mais j'aimerais avoir le plaisir de le voir se jeter à mes genoux une seule fois et me lécher les pieds pour qu'il sache ce que c'est que le refus d'une femme, pour qu'il connaisse à fond ce que c'est que le mépris et qu'il en souffre, et qu'il se torde devant moi comme un enfant qui crève de rage parce qu'on ne se rend pas à son caprice.

GENEVIÈVE — Il n'irait pas jusque là, il te battrait avant.

HÉLÈNE — Il t'a déjà battue?

GENEVIÈVE — Oui, souvent.

HÉLÈNE — Pourquoi?

GENEVIÈVE — Pour rien parce qu'il avait ça dans le bras.

HÉLÈNE — Il me battrait alors, mais je lui cèderais pas.

GENEVIÈVE — Il te tuerait.

HÉLÈNE — Mais non, et c'est là qu'il laisserait voir sa lâcheté. Parce que lui ou un autre ils sont tous lâches.

Silence. Elles se regardent puis se versent encore à boire.

GENEVIÈVE — Entre le chien et le loup... tu choisis le loup?

HÉLÈNE — Je ne choisis pas... Je n'ai jamais voulu me laisser mordre ou dévorer.

GENEVIÈVE — Moi, j'ai choisi le chien. Mais je ne sais pas encore si René est un dobermann ou un berger allemand... Lequel est le plus méchant ?

HÉLÈNE — J'ignore, je ne m'y connais pas...

GENEVIÈVE — Je me demande quelque chose...

HÉLÈNE — Quoi donc ?

GENEVIÈVE — Si dans quelques années je haïrai les hommes comme tu les détestes...

HÉLÈNE — Mais je ne les déteste pas, je les aime !

GENEVIÈVE — Après tout ce que tu viens de dire ?

HÉLÈNE — Après tout ce que je viens de dire et après ce que j'ai bu aussi... Et puis je vais même ajouter une chose qui va t'étonner... Je suis une anti-féministe... J'ai en horreur tous les mouvements de libération de la femme en faveur de l'égalité des sexes.

GENEVIÈVE — Je te trouve... Je te trouve difficile à comprendre.

HÉLÈNE — C'est ce que les hommes disent aussi... Ils n'arrivent pas à se mettre dans la tête que la seule façon de comprendre une femme c'est de savoir... de savoir, Geneviève, de savoir l'aimer... Autrement ça devient une sorte de micmac dont on sort amoindri de part et d'autre...

GENEVIÈVE — Tu es comme Ludovic... tu penses tout le temps.

HÉLÈNE — Je ne suis pas comme Ludovic...

Habituellement, je prends la vie avec plus de légèreté. Mais la situation dans laquelle je me trouve présentement m'ennuie... Je n'étais pas venue ici pour faire la fête, tu vois, et j'ai l'impression de gaspiller mon temps.

GENEVIÈVE — C'est à cause de René et moi?

HÉLÈNE — Le seul responsable est Ludovic... Il attendait quelque chose de moi en m'invitant, j'en suis certaine, mais il a manqué de courage ou d'audace. Toi et René, vous lui avez permis de se disperser, ce qui a fait son affaire au fond...

GENEVIÈVE — Nous allons repartir cette nuit...

HÉLÈNE — Non.

GENEVIÈVE — Demain, pas plus tard.

HÉLÈNE — Demain c'est la Saint-Jean, il faut que vous y soyez tous les deux.

GENEVIÈVE — Ce sera n'importe quand, d'abord; je ne sais plus rien moi... Et puis je commence à être soûle.

HÉLÈNE — Moi aussi, mais je n'en suis pas tout à fait certaine.

Elle se verse à boire.

GENEVIÈVE — Comme ils vont rentrer soûls tous les deux, on va être tous les quatre égaux.

HÉLÈNE *rit* — Mais ce n'est pas ça l'égalité.

GENEVIÈVE — C'est quoi d'abord?

HÉLÈNE — L'égalité c'est... c'est la différence!

GENEVIÈVE — Ça c'est fort. Je sais pas ce que tu veux dire, mais c'est fort certain.

HÉLÈNE — Ce que je veux dire... qu'est-ce que je veux dire au juste?... Ah! oui... Les femmes sont des êtres humains, d'accord?

GENEVIÈVE — Oui.

HÉLÈNE — Les hommes aussi, même s'ils ne le paraissent pas souvent.

GENEVIÈVE — Oui.

HÉLÈNE — Chacun de leur côté ils doivent apporter quelque chose à la survie de l'espèce.

GENEVIÈVE — Oui. Ils sont pas faits pareils, mais ils vivent ensemble.

HÉLÈNE — Ils vivent ensemble parce qu'ils sont différents.

GENEVIÈVE — Autrement dit, la femme a un vide à combler et l'homme est un bouche-trou.

HÉLÈNE — Mon Dieu que t'es drôle! Ce que tu dis est drôle, mais ce n'est pas tout à fait ça... L'homme est le présent de la femme tandis que la femme est son avenir. Tu vois?

GENEVIÈVE — Oui, mais c'est un peu embrouillé.

HÉLÈNE — Ça fait rien. Ils sont différents, mais ils sont semblables aussi. Si l'un assume le présent et l'autre l'avenir, leur rapprochement les rassure, les unit. Ils peuvent difficilement se passer l'un de l'autre ou se séparer sans se faire très mal. C'est par leur humanité différente qu'ils sont égaux.

GENEVIÈVE — Si c'est comme ça, je dirai plus jamais que René est un chien... Sauf peut-être quand il va aboyer un peu trop fort.

HÉLÈNE — Ce que je viens de t'expliquer c'est

la façon idéale de voir les choses... Malheureusement, c'est pas comme ça que les couples vivent et se voient. Les hommes préfèrent nous considérer comme des êtres inférieurs, comme des petites bêtes qui doivent faire leurs volontés même les plus répugnantes...

GENEVIÈVE — Ils sont salauds des fois, Hélène!

HÉLÈNE — Ils sont égoïstes, rancuniers...

GENEVIÈVE — Menteurs, tricheurs, méchants...

HÉLÈNE — Ils prennent tout pour acquis, ils se complaisent dans leur médiocrité...

GENEVIÈVE — Ils sont malpropres, ivrognes, paresseux...

HÉLÈNE — Ils sont serviles et prêts à tous les compromis quand il s'agit de leurs intérêts...

GENEVIÈVE — Ils sont niais, ils font des farces grossières, ils rient fort, ils blasphèment...

HÉLÈNE — Ils se disent forts alors qu'ils ne sont que des lâches...

GENEVIÈVE — Ils sont orgueilleux comme des paons...

HÉLÈNE — Alors qu'ils sont laids et ridicules à voir...

GENEVIÈVE — Des fois, seulement, ils sont beaux en dedans et en dehors...

HÉLÈNE — Mais ça ne dure pas. Ils commettent tout de suite une bêtise pour se dévaloriser...

GENEVIÈVE — Ils sont beaux seulement quand ils pensent un peu aux autres...

HÉLÈNE — Ils sont beaux aussi quand ils sont modestes...

GENEVIÈVE — Quand ils sont francs...

HÉLÈNE — Prévoyants et remplis de délicatesse...
GENEVIÈVE — Ça peut même leur arriver d'être bons...
HÉLÈNE — Oui c'est vrai... Et gentils... Et subtils...
GENEVIÈVE — Ça peut même arriver qu'on ait envie d'eux...
HÉLÈNE — Sans qu'on ait l'impression d'être une bête au service de leurs désirs...
GENEVIÈVE — Quand ils nous prennent la main doucement parce qu'on semble avoir du chagrin.
HÉLÈNE — Quand ils sont loin et qu'ils se donnent la peine de nous écrire et qu'ils trouvent les mots qu'il faut...
GENEVIÈVE — Quand ils sont fiers de nous et qu'ils nous respectent...
HÉLÈNE — Alors on découvre qu'on a droit à la fierté et au respect...
GENEVIÈVE — Quand ils sont à bout de force et découragés...
HÉLÈNE — Et qu'ils posent leur tête sur nos seins ou sur notre ventre pour pleurer comme des enfants...
GENEVIÈVE — Oui c'est vrai, il leur arrive d'être autre chose que des vauriens et des vandales...
HÉLÈNE — Et il nous arrive à nous de les aimer du fond de notre cœur...
GENEVIÈVE *dépose son verre et recommence à pleurer doucement* — Mais pourquoi ça se produit si rarement?...
HÉLÈNE — Ne pleure pas... Il y a tellement de choses à refaire, Geneviève... tellement de

choses... Ne pleure pas... C'est parce que tu es fatiguée... La belle heure, l'heure qui n'est ni chien ni loup, qui est comme un mystère, est passée... Il fait déjà nuit...

GENEVIÈVE — Veux-tu m'aider à rentrer, je ne suis plus certaine de savoir où se trouve la porte...

HÉLÈNE — Je vais t'aider, ma soie... *(Lui enveloppe les épaules.)* Tu vas dormir et tu vas tout oublier...

GENEVIÈVE — Tu sais? J'aurais voulu l'attendre jusqu'à ce qu'il revienne... Il va être ivre-mort, il va sentir le parfum d'une autre femme, il va gueuler comme un charretier, mais j'aurais quand même voulu l'attendre... Parce que... parce que je l'aime...

HÉLÈNE — Mais oui... c'est fait comme ça... Et c'est comme ça que ça se défait... et c'est tellement difficile de changer quelque chose.

Hélène aide Geneviève jusqu'à la porte et les deux femmes entrent dans la maison. Moment de silence, le soir s'assombrit davantage, mais la lune qui s'est déplacée imperceptiblement dans le ciel jette sa lueur blanche sur l'eau lisse de la rivière et sur toute chose. Puis tout à coup on entend des voix venant de la coulisse, ce sont celles de Ludovic et de René. Ils paraissent dans le jardin passablement ivres, René plus éméché que Ludovic qui le soutient et l'aide à marcher.

LUDOVIC ET RENÉ *chantent* —
« Sous les ponts de Paris »
« Lorsque descend la nuit »
etc.

RENÉ, *appelant* — Geneviève!... Houhou!... Geneviève!... C'est ton p'tit mari adoré qui t'appelle!... Houhou!... Hélène! Hélène!... C'est ton p'tit mari adoré qui arrive.

LUDOVIC — Je pense que tu as... vraiment trop bu... René... Non seulement je le pense, mais j'en suis certain...

RENÉ *rit* — Tu penses?... Tu penses?... Et puis toi! Je suis obligé de t'aider à marcher. *(C'est évidemment le contraire qui est la vérité.)* Hou hou!...

LUDOVIC — Pas si fort! Elles doivent dormir...

RENÉ — T'es fou, René...

LUDOVIC — Ludovic... Si tu nous confonds maintenant...

RENÉ — Nos femmes dorment pas... Nos femmes nous attendent dans leur petit nid d'amour... qu'elles ont... qu'elles ont spécialement préparés à notre intention... Hou! Hou!... C'est nous autres.

LUDOVIC — Moi... je dis qu'elles dorment, Ludovic...

RENÉ — Comment tu m'appelles?... Ludovic?... Et puis tu dis que je te confonds avec moi... Et puis tu dis que c'est moi qui ai trop bu...

LUDOVIC — C'est pas important... Évite de crier, mon vieux... En les réveillant tu jettes de l'huile sur le feu.

RENÉ — Je m'en fiche, moi, je m'en fiche totalement... Je suis pompier... Quand ma femme prends en feu, je mets pas plus de deux minutes pour l'éteindre.

LUDOVIC — Il y a Hélène aussi...

RENÉ — Ah oui! Hélène... C'est cette nuit... c'est cette nuit qu'elle va connaître son plus grand moment d'amour... Je m'en occupe personnellement.

LUDOVIC — Ah non!... Si t'as jamais été mal reçu dans ta vie...

RENÉ — Je m'en fiche... Tu veux pas je couche avec elle parce... parce que t'es jaloux, mon vieux Ludovic...

LUDOVIC, *pour ne pas le contrarier* — Oui, je suis jaloux... Mais on va rentrer maintenant... Très très doucement... sans faire de bruit, en essayant de casser le moins de pots possibles... Et puis demain matin, on aura notre p'tit déjeuner-causerie comme deux grands garçons... Ensuite on ira faire sauter le barrage...

RENÉ — Oui, c'est la sagesse qui parle, la sagesse d'un grand écrivain paqueté jusqu'aux dents... Hé! Ludovic... le caribou, moi j'aime pas mal ça... Mais je trouve que rendu au trente-troisième il commence à cogner... Et puis ton engagé, c'est quelqu'un... Il connaît les grands endroits... L'hôtel de Sainte-Théodosie, Ludovic... l'hôtel de Sainte-Théodosie, c'est quelque chose... Avec les trois filles que ton engagé nous a trouvées, moi je me pensais au paradis... Je pensais que j'étais mort et puis qu'à cause de ma bonne vie j'étais monté direct au paradis... Pas toi? Pas toi, Ludovic?

Lui applique une claque dans le dos.

LUDOVIC — Ouch! Ma clavicule!

RENÉ — Celle qui avait des grosses fesses, comment elle s'appelle?

LUDOVIC — Je sais plus, j'ai oublié... Je pense qu'elle avait pas de nom... Je pense qu'elle s'appelle... «La toutoune» ou «Grosses fesses» tout simplement... Viens.

RENÉ — Oui. Il faut monter faire l'amour à nos femmes maintenant... On revient tout seuls mais pas bredouilles.

LUDOVIC — Penouilles.

RENÉ — Hein? Penouilles?

LUDOVIC — Oui.

RENÉ — Comme tu voudras... On revient pas Penouilles.

LUDOVIC — Il faut surtout que tu dormes maintenant. Viens.

RENÉ — Oui.

René n'oppose plus de résistance et Ludovic l'entraîne vers la maison.

RENÉ, *sans force dans la voix* —
«Sous les ponts de Paris»
«Lorsque descend la nuit»
etc.

Ludovic l'a poussé dans la maison, mais le téléphone sonne sous le saule. Ludovic refer-

me la porte sur René et va sous les feuillages du saule décrocher l'appareil.

LUDOVIC — Allo! Ici Ludovic Santerre, contracteur... Oh!... Excusez-moi, Julie... Non, vous ne me réveillez pas, je... ou plutôt oui vous me réveillez, c'est pour ça que ma voix doit vous sembler drôle... Demain? Ne venez pas trop tôt, mais venez quand même. J'aurai une petite pièce à quatre personnages à vous faire taper... C'est la première fois que vous me téléphonez comme ça... Julie! Qu'est-ce que vous avez?... Qu'est-ce qui se passe Julie?... Attendez!... Ah! Elle a raccroché...

Il raccroche à son tour et se dégage péniblement des feuillages pour reparaître devant le public. Il lève la tête vers les étoiles, la tourne pour voir la lune, puis relève une autre fois la tête vers les étoiles.

LUDOVIC, *triste, soucieux* — C'est peut-être la plus belle nuit de l'été... Je n'ai pas encore parlé à Hélène... Je suis soûl et Julie... Julie pleurait au téléphone...

Lentement, péniblement, il regagne sa maison. Fin de la première partie.

DEUXIÈME PARTIE

Troisième tableau

«Les feux de la Saint-Jean ne s'allument pas, les pétards sont mouillés et les jeux sont faussés.»

Le lendemain. Il est sept heures du soir, mais à cause du solstice d'été les clartés du jour se prolongent. Sur la table du jardin, quelques plats contenant des amuse-gueules. Sur la même étagère que la veille, des bouteilles, des verres, un seau à glace et une carafe d'eau bien rangés. Il n'y a personne en scène. Paraissent Jules et Julie qui passent sous la tonnelle ou le treillis et pénètrent dans le jardin. Deux petits haut-parleurs ont été installés aux colonnes de la véranda et diffusent une musique ininterrompue de piano, des airs de chansons québécoises qui s'enchaînent sans rupture. Une guirlande de lanternes chinoises éteintes traverse l'avant-scène depuis le treillis jusqu'à la maison.

JULES, *qui a vite fait le tour des lieux d'un regard circulaire* — C'est ça leur fête?

JULIE — T'avais rien qu'à pas venir.

JULES — Mais c'est toi qui m'as invité.

JULIE — Essaie de ne pas me le faire regretter trop vite.

JULES — J'ai pas couru après ton invitation.

JULIE — Non? Hier soir tu m'as suivie jusqu'à l'auberge. Quand je suis descendue pour souper, tu étais encore là. Tu t'es installé à la table d'en face pour me regarder manger.

Je suis remontée à ma chambre, tu as voulu monter avec moi. Tu as reniflé jusqu'à ma porte.

JULES — J'avais peur que tu sois malade.

JULIE — Malade pourquoi?

JULES — Je connais le menu de l'auberge, tu n'y trouves aucun aliment naturel. C'est la cuisine bourgeoise avec des sauces dégueulasses. Chaque fois que tu manges là, tu t'empoisonnes un peu plus. Tu vas mourir.

JULIE — Et puis après? *(Hausse les épaules.)* Je connais des gens qui ont vécu jusqu'à quatre-vingt ans et qui s'empoisonnaient comme ça tous les jours.

JULES — Tu devrais manger du riz bouilli régulièrement, boire des jus de carottes, jamais de café.

JULIE — C'est ce que tu fais?

JULES — Non... Non parce que mes parents sont encroûtés dans des habitudes culinaires d'une autre époque. Ils sont à plaindre. Moi, j'ai protesté pour leur faire comprendre quelque chose, ils n'ont rien voulu savoir. Je les laisse faire maintenant. S'ils préfèrent mourir tranquillement tous les jours, ça les regarde.

JULIE — Tu connais quelqu'un, toi, qui meurt pas un peu plus chaque jour?

JULES — Non, mais ça viendra. Je connais un poète qui est parti en guerre contre la mort. Je suis certain qu'il va gagner. Parce que c'est un gars chouette, un type bien. Il est avant tout pour la vie et l'avortement. Tu vois ce que je veux dire?

JULIE — Oui. Un beau «crack pot» !
JULES — Laisse faire. Un jour il va tout révolutionner, il va devenir notre poète national. Il n'est pas comme Ludovic Santerre, il ne pense pas à sa postérité.
JULIE — Il rêve simplement d'être éternel ?
JULES — C'est ça. Que tous les hommes et toutes les femmes soient éternels. Comme ça ils n'auront plus besoin de se reproduire. Ça va faire du bien à l'espèce de connaître la stabilité et la détente dans l'érotisme. Les taux de natalité et de dénatalité, on n'en reparlera plus... Sais-tu ce que je vais faire quand mes parents seront couchés dans leur cercueil ? Au lieu de les entourer de fleurs puantes, je vais leur apporter du ragoût de pattes, de la soupe aux choux, de la tourtière avec du «ketchup», de la graisse de rôti sur du sucre à la crème.

Julie éclate de rire.

JULES, *fier de lui* — Tu me trouves drôle, hein ?
JULIE — Je te trouve de plus en plus stupide... Je voulais te dire aussi... La prochaine fois que tu me verras sortir de l'auberge la nuit pour me promener dans le village, évite de me suivre à la trace et de me poser trente-six mille questions parce que j'ai les yeux rougis.
JULES — Oui c'est vrai, j'ai été fou de te questionner. Au fond j'avais tout compris. Tu avais pleuré et c'était facile de deviner les causes de ton cafard. Traumatisme et frus-

tration sexuels, repliement sur soi-même jusqu'à ce que ça devienne trop étouffant. Il s'ensuit inévitablement un refoulement insupportable. Dommage que tu ne m'aies pas invité dans ta chambre, j'aurais pu t'aider, te donner un coup de pouce et régler bien des choses. Tu m'aurais remercié ensuite.

JULIE — En ce moment j'aurais envie de te remercier, oui.

JULES — Ah oui ! Pourquoi ?

JULIE — J'aurais envie de te donner ton congé.

JULES — Rien à faire, Juju...

JULIE, *fâchée* — Ne m'appelle pas comme ça !

JULES — Rien à faire. Tu m'as invité, je reste.

Paraît Hélène qui sort de la villa et qui les aperçoit. Elle va tout de suite vers Julie.

HÉLÈNE, *avec gentillesse* — Mais c'est bien, Julie, d'avoir invité quelqu'un à t'accompagner ce soir.

JULES *s'avance vers Hélène* — Jules Lévy, comédien.

HÉLÈNE — Je suis Hélène.

JULES *la prend par les épaules et l'embrasse sur les deux joues comme cela se pratique dans le milieu* — Une beauté de cinéma... Elle serait aussi très bien sur une scène de théâtre. *(À Julie:)* C'est la p'tite amie du scribouilleur romantique? *(À Hélène:)* Je te vois dans un tas de rôles. J'en parlerai à un ami metteur en scène.

JULIE, *à Hélène, quelque peu interdite* — Faut l'excuser, c'est un garçon qui fait lui-même sa propre éducation depuis trois ans.

HÉLÈNE — Il est reparti à zéro?

JULIE — Oui. Il a décidé de se faire une personnalité à la mode et de percer... Mais c'est tout ce que j'ai pu trouver au village.

JULES — Elle peut se compter chanceuse parce qu'il n'y a pas beaucoup de bonshommes de ma trempe là-bas. *(Indiquant la table.)* C'est pour manger, ça?

HÉLÈNE — Mais oui, servez-vous.

Jules prend quelques petits sandwichs qu'il engouffre comme s'il n'avait pas mangé depuis trois jours.

HÉLÈNE — Nous n'avons préparé que des petites choses, nous irons peut-être dîner ailleurs plus tard ou faire une petite fête dans les alentours... Il y a à boire aussi.

JULES — De l'alcool?

HÉLÈNE — Bien sûr.

JULES, *avec dédain* — Eurrrk!... Je prendrais un scotch à l'eau avec quelques glaçons.

JULIE — Tu peux te servir toi-même.

HÉLÈNE — Non je vais le faire. *(Ce qu'elle fait.)* Toi, Julie?

JULIE — Comme hier, s'il vous plaît. Je ne sais pas ce que j'ai bu, mais j'ai aimé le goût... *(À Jules, même si Hélène est tout près.)* Je t'ai invité parce que je ne voulais pas venir toute seule; maintenant, je le regrette.

JULES — Pas moi. Ma seule idée était de voir Ludovic Santerre et de lui parler bien en face.
JULIE — J'espérais seulement... j'espérais seulement que tu aurais appris ta leçon.
JULES — Je ne reçois de leçon de personne. *(Reçoit son verre des mains d'Hélène.)* Grazie Signora.
HÉLÈNE — Mais il parle l'italien !
JULES — Entre autres, oui. Je suis curieux de tout, je suis un forçat de l'étude. *(Boit et grimace.)*

Hélène donne un verre à Julie.

JULIE, *à Hélène* — Merci.
HÉLÈNE — Les très belles soirées se suivent, mais sans se ressembler. On s'attache beaucoup à cette rivière, hein Julie ?
JULIE — Oui, beaucoup.
JULES — Elle est toujours semblable quoi ! C'est de l'eau ! Polluée à mort probablement.
HÉLÈNE — Ce n'est pas juste. Elle est toujours différente. De toute sa vie on ne se baigne jamais deux fois dans le même eau... Elle est comme un miroir, elle semble immobile, mais elle passe... elle passe sans arrêt.

Ludovic est sur la véranda, enserrant la taille de Geneviève; il n'a pas encore aperçu Jules et il est très prudent, très avare de ses gestes.

LUDOVIC — J'ai le déplaisir de vous annoncer qu'il n'y aura pas de feu d'artifice parce que les pétards sont mouillés. Présentement, René calme sa colère en injuriant tout ce qu'il y a de sacré dans les églises. Mais il ne tardera pas à venir parce que son vocabulaire ecclésiastique commence à s'épuiser. Bonsoir, Julie.

JULIE, *qui cache Jules presque volontairement* — Bonsoir, monsieur... Vous êtes satisfait du travail que j'ai fait aujourd'hui ?

LUDOVIC — Vous faites les choses comme il se doit. Mais je n'ai rien relu... Nous avons causé Geneviève et moi et le temps a passé... Mais vous n'êtes pas seule, Julie !

JULIE — Et non !... J'ai pensé que je vous embêterais si je venais seule et je sais que vous n'aimez pas les nombres impairs.

GENEVIÈVE — Ludovic n'est pas un homme comme les autres. C'est mon premier séjour ici et je ne voudrais plus m'en retourner.

HÉLÈNE — C'est toujours avec un peu de chagrin que l'on quitte le petit univers de Ludovic. Après le troisième jour c'est devenu comme une drogue.

Ludovic a délaissé Geneviève et sans se préoccuper des propos qu'elle échange avec Hélène, va vers Julie et découvre Jules.

LUDOVIC *se raidit dès qu'il le reconnaît, mais se contient par déférence pour Julie* — Est-ce que ce garçon aurait par hasard le privilège d'être votre compagnon, ce soir ?

JULIE — Ce n'est pas à proprement parler un privilège. C'est plutôt quelque chose comme un hasard.

JULES — Un hasard heureux quoi!... Jules Lévy. Vous vous souvenez sans doute de moi? Il y a quelques jours...

LUDOVIC — Malheureusement oui!

JULES — Serrez-moi la main alors...

LUDOVIC, *toujours par déférence pour Julie, lui serre la main, mais avec en même temps beaucoup de réticence* — L'estime que j'éprouve pour Julie m'interdit de poser des gestes ou dire des choses qui pourraient être malvenus dans les circonstances...

JULES — Cette piècette à quatre personnages que vous avez écrite est assez chouette même si je la trouve un peu rétrograde.

LUDOVIC — Vous ne lui faites quand même pas lire mes écrits, Julie!

JULIE — Je lui en ai touché deux ou trois mots pas plus, il n'a rien lu.

JULES — Moi... et quelques copains à Montréal, nous aimerions nous lancer dans une création collective. Vous ne pourriez pas nous faire un p'tit canevas, ça nous plairait. Votre nom serait sur l'affiche, promis. Nous aimerions aller chercher un public conventionnel qui n'a pas l'habitude du vrai théâtre. Ça étonnerait les vieux de voir ce qu'on peut faire de sensass en partant d'une idée de rien.

LUDOVIC, *hors de lui* — Je... *(Regarde Julie et se ravise.)* Non... *(À Jules:)* Trouvez-en une vous-même une idée et ne venez pas m'em... *(Se ravise encore.)* Je ne suis pas un auteur à la mode!

JULES — Je vous offrais ça pour vous rendre

hommage. Parce que je vous crois tout de même sensible aux préoccupations avant-gardistes.

LUDOVIC — Vous vous trompez, oubliez ça, je ne suis sensible qu'aux démarches individuelles, qu'aux difficultés que rencontre un homme seul aux prises avec lui-même et la vie.

JULIE, *à Jules* — C'est assez, nous allons retourner à Sainte-Rosalie.

HÉLÈNE — Non. Vous allez rester.

JULES — Mais oui, personne ne nous chasse à ce que je sache. *(Il a bafouillé.)* Pardon!... À ce que je sache.

Et il va plonger les mains dans les plats d'olives et de céleris.

GENEVIÈVE, *à Julie* — Je serais prête à te prêter mon mari ce soir, plutôt que de te voir malheureuse comme ça.

JULIE — Je ne suis pas malheureuse, j'ai manqué de jugement c'est tout. J'ai espéré jusqu'à la dernière minute qu'il se conduirait gentiment. C'était la moindre des choses, je pense.

JULES, *la bouche pleine* — Qu'est-ce que tu dis, Juju?

JULIE, *violente* — Je t'ai dit de ne plus m'appeler comme ça!

JULES, *comme s'il n'y était pour rien* — Veux-tu du céleri, des olives?

JULIE — Je ne veux rien!

GENEVIÈVE, *à Hélène* — Qu'est-ce que fait René?

HÉLÈNE — C'est toi qui devrais savoir.

GENEVIÈVE — Oui, c'est vrai... Crois-tu qu'il va vouloir sortir?

HÉLÈNE — Je te pose la même question.

LUDOVIC — Il a eu la gueule de bois toute la journée, mais il a travaillé comme un taureau. Le remblai est terminé, on a fait sauter le barrage, le ruisseau coule normalement. Au fond il a été extraordinaire. Sauf pour les pétards qu'il a échappés au fond de l'eau quand il les a pris dans sa voiture.

JULES — J'ai horreur de la violence, je suis contre la dynamite... Ne faites pas la guerre, mais l'amour, Ludovic Santerre...

HÉLÈNE — C'est très très original.

GENEVIÈVE — Il dit n'importe quoi le p'tit garçon!

JULES — Je ne dis pas n'importe quoi... Je suis contre la dynamite et la mort.

JULIE — Qui te parle de mort?

JULES — Le deuxième fermier d'ici. Le vétérinaire est arrivé trop tard, il n'a pas survécu.

GENEVIÈVE — Le vétérinaire!

LUDOVIC — Qui n'a pas survécu?

HÉLÈNE — Le fermier?

JULES, *à Ludovic* — Quand vous avez fait sauter votre barrage en début de journée... Le deuxième voisin d'ici avait une vache enceinte. Au bruit de l'explosion, elle a eu peur, elle s'est agitée et le p'tit veau est né prématurément. Il n'a pas survécu à sa naissance précipitée. Il a levé les pattes sans avoir même vu sa mère.

René est sur la véranda depuis un court moment et il a entendu les dernières répliques de la conversation. Il a encore une gueule de bois.

RENÉ — Ça prouve que quand on a une vache trop nerveuse, on la bourre de Valium aux quatre heures. *(Indiquant Jules à Julie.)* C'est toi, mon trésor, qui nous a fait cadeau du p'tit blond frisé?

JULIE *aurait envie de pleurer* — J'étais venue pour le feu d'artifice; comme il n'aura pas lieu, je vais retourner à l'auberge.

Elle se dirige vers la sortie.

LUDOVIC *s'interpose* — Restez, Julie.

JULIE — Non. Comme ma journée de travail est faite, je peux vous désobéir, hein? Je le peux?

Elle s'esquive et disparaît en se sauvant presque.

JULES — Terriblement complexée, la p'tite.

HÉLÈNE — Peut-être. Mais vous devriez la raccompagner.

GENEVIÈVE — C'est la moindre des choses, il me semble.

JULES — Ah! J'aime mieux rester.

RENÉ, *bourru, qui s'en mêle* — Écoute, beau blond, mes deux femmes préférées viennent de te faire une suggestion que je trouve remplie de bon sens.

JULES — Les bonnes femmes, vous savez, se tiennent entre elles, se protègent, faut pas les prendre trop au sérieux.

RENÉ *le saisit par le revers de son veston et le soulève* — Mais moi, quand je dis quelque chose une fois, je le répète pas deux fois. On veut rester en famille.

JULES — Vous n'avez pas beaucoup le sens de l'hospitalité.

RENÉ — Non.

JULES — Très bien alors, je vais me retirer. En fin de compte je n'ai rien à faire avec des trépassés.

René le laisse retomber.

LUDOVIC — Ne lui faites plus jamais de chagrin!

JULES *recule de quelques pas et s'arrête* — Tu n'es plus qu'un écrivain raté, Ludovic Santerre.

Et il sort rapidement. Ludovic est atteint, ne le montre pas trop, mais les trois autres le regardent. Moment de silence. C'est Geneviève qui, la première, va vers Ludovic.

GENEVIÈVE — Ce qu'il vient de dire n'est pas important du tout, Ludovic.

Hélène observe ostensiblement Geneviève.

LUDOVIC — J'ai toujours cru que ce qui comptait le plus, c'était de rester fidèle à soi-même, d'assumer une sorte de continuité dans son existence et son travail, de persévérer et de croire aux idées qui nous ont fait vivre et respirer depuis l'âge de vingt ans, d'atteindre l'espoir et une croyance toujours renouvelée dans les choses de la vie. Un écrivain raté...

RENÉ — Tu t'es laissé avoir par les paroles d'un p'tit morveux, Ludovic.

HÉLÈNE — Il n'y a qu'une faille en toi et c'est ta vulnérabilité vis-à-vis des autres.

LUDOVIC — Peut-être, oui, mais parlons d'autre chose.

GENEVIÈVE — J'aimerais bien qu'on allume les lanternes. On s'est donné beaucoup de mal Hélène et moi pour les installer.

Ludovic, Geneviève et René se sont servis à boire et grignotent au passage les petites choses qui se trouvent sur la table.

LUDOVIC — Oui, le jour commence à baisser.

HÉLÈNE — J'y vais.

Elle va à un endroit de la véranda où se trouvent des commutateurs électriques. Elle en presse un premier qui allume les lanternes chinoises et un second qui allume les lampes anciennes appliquées aux colonnes de la véranda et de chaque côté de la porte. L'éclairage général s'en trouve modifié. Le jour baissera graduellement et assez vite et la lune fera son apparition dans un autre coin du ciel. Un train passe au loin.

LUDOVIC, *presque ému* — Le train de sept heures quarante-cinq... Il ne passe que tous les deux jours. Un jour il ne passera plus du tout.

Silence.

RENÉ — Bon! Qu'est-ce qu'on fait maintenant?

LUDOVIC — C'est la Saint-Jean, mon vieux, il faut fêter ça!

GENEVIÈVE — Mais tu l'as déjà fêtée hier soir.

RENÉ — Hier soir? Nous sommes allés à une réunion sérieuse. Nous avons calmé les voisins de Ludovic et les fermiers.

LUDOVIC — Mais non, René, tu sais bien qu'elles ne nous ont jamais crus. Nous avons tous les deux pris une cuite avec tout ce que cela implique. Et nous sommes rentrés soûls comme des bourriques.

RENÉ — Tu es incapable de soutenir jusqu'au bout la version que nous avions inventée?... Tu me déçois, vieux. À ton âge...

LUDOVIC — Nous n'avons plus l'âge de mentir.

GENEVIÈVE — Il ne se souvient même pas que nous étions éveillées à votre retour.

RENÉ — Au contraire, je m'en souviens très bien. Jamais tu ne m'as engueulé comme ça.

HÉLÈNE — Comme je serais mal venue d'enguirlander Ludovic parce que mon statut vis-à-vis lui ne me le permet pas, j'ai fait en sorte que Geneviève te fasse encaisser pour les deux.

RENÉ — Merci, très chère. *(Lui entoure la taille.)* Si tu connaissais seulement la puissance du mensonge bien entretenu.

HÉLÈNE *sourit* — Étant restée libre j'ai rarement eu à mentir... Je t'aime bien, René, mais tu manques vraiment d'élégance quand tu abuses de la crédulité de ta femme.

GENEVIÈVE — Un jour il ne pourra plus le faire.

RENÉ, *inquiet, lui qui l'est rarement* — Qu'est-ce que tu veux dire?

GENEVIÈVE — Rien. Je t'aime toujours, mon grand, mais tu n'as jamais eu vraiment mal et il faudrait que ça t'arrive.

HÉLÈNE — Revenons à la fête. *(À Ludovic et René:)* Allez allumer un feu sur la grève pendant que nous allons chercher les victuailles à l'intérieur. Et descendez les bouteilles aussi. Mais ne vous occupez pas du vin, nous allons l'apporter avec le reste.

RENÉ — Mais elles ont quelque chose là! *(Indique la tête),* les deux p'tites filles. Ce n'est pas seulement le grand air qui circule.

LUDOVIC — Crois-tu que nous le méritions?

RENÉ — L'amour n'est pas une question de mérite, enlève-toi ça de l'idée.

HÉLÈNE, *visant Ludovic* — C'est une question de savoir ce que l'on veut.

GENEVIÈVE — Et d'agir en conséquence.

Geneviève entraîne Hélène en la prenant par la taille vers l'intérieur de la maison comme deux gamines qui triomphent.

RENÉ, *après un temps* — Geneviève a changé.

LUDOVIC — Mais non.

RENÉ — Je le sais, je le sens.

LUDOVIC — Elle va peut-être exiger de toi que tu la traites à l'avenir comme un être humain.

RENÉ — Ce ne sera pas facile.

LUDOVIC — Tu t'y feras. Je t'ai toujours dit qu'il fallait avoir du respect pour les femmes... Il n'est peut-être pas trop tard pour que tu apprennes. Viens m'aider. *(Il est rendu au bar.)*

RENÉ, *mécontent* — Merde !

Très songeur, René va le rejoindre et commence à se charger les bras de bouteilles. Tout s'éteint.

Quatrième tableau

«Le triangle est carré et prend même des allures de pentagone. Mais la géométrie répugne en réalité aux cœurs équivoques.»

Le même soir, trois heures plus tard. Il n'y a plus de lune, que des étoiles. Hélène et René sont debout sur la véranda, éloignés l'un de l'autre, mais face à face. Chacun est appuyé contre une colonne.

RENÉ — Nous sommes venus comme ça, à l'improviste, passer quelques jours avec Ludovic et nous avons brouillé les choses entre toi et lui.

HÉLÈNE — Ce n'est pas si simple parce que Ludovic n'est pas simple. Il a parfois des impulsions, il se fait une idée très précise sur quelqu'un et décide d'agir, de faire un choix. Lorsque vous êtes arrivés, il a aperçu Geneviève et en une fraction de seconde, un nouveau sentiment a surgi. La beauté de Geneviève l'a ébloui et déboussolé.

RENÉ, *froid* — Dis-moi s'il est amoureux de Geneviève.

HÉLÈNE — Il pourrait l'être, mais je ne le crois pas. Il est amoureux de la beauté de Geneviève comme il a toujours été amoureux des vertiges de l'amour. Il n'est pas Don Juan, ni Casanova, ni Valentino, il n'est pas un «homme de cendres», il est un homme seul, en quête d'un absolu, de quelque chose d'ineffable, qui lui ont échappé toute sa vie. Le fil de cet étrange amour ne s'est jamais brisé en lui-même; s'il a paru aimer plusieurs femmes il n'en a jamais aimé qu'une seule: celle qui n'est jamais venue et qu'il attend toujours.

Silence.

RENÉ — Et toi, Hélène, dans tout ça?

HÉLÈNE — Je suis tout et je ne suis rien, celà dépend du moment. D'une certaine manière je crois avoir un point de ressemblance avec Ludovic. Je trouve que c'est une chose terrifiante que d'avoir à faire un choix.

RENÉ, *encore froid* — L'autre soir, tu as dressé Geneviève contre moi?

HÉLÈNE *hésite un court moment* — Geneviève est un livre ouvert et j'ai lu avec elle dans sa vie, dans la vie des femmes.

RENÉ — Ouais... C'est inutile de te questionner, tu es trop intelligente. Je n'ai pas l'habitude des filles intelligentes. Je suis certain que tu me ferais une maîtresse admirable, mais je suis tout aussi certain que je ne t'aurais jamais épousée. *(Sans trop paraître inquiet.)* D'après toi, où sont-ils allés? Ils sont remontés avant nous, nous ne les avons pas retrouvés à la maison...

HÉLÈNE — Ils se promènent dans la campagne, ne sois pas inquiet.

RENÉ — Je ne suis pas inquiet, je ne suis jamais inquiet. *(Se rapproche d'elle.)* Quand Ludovic trouve une femme qui lui plaît, il l'emmène voir la lune et les étoiles dans la campagne, il lui fait écouter le chant d'un ruisseau.

Moi, ce n'est malheureusement pas dans ma nature. Moi je pense tout de suite à l'entraîner dans mon lit. *(Il est tout près d'elle.)* Je suis une brute, mais une bonne brute parce que j'aime donner le plaisir, la jouissance, j'aime voir pleurer une femme quand elle jouit.

HÉLÈNE, *imperceptiblement ébranlée, ne bat pas cependant en retraite* — Tu es plein de vie, tu as les deux pieds sur terre et tu aimes les pays rudes... Je voulais te dire: tu es attachant lorsqu'on te connaît un peu...

RENÉ *la prend dans ses bras* — Les femmes comme toi me font peur. Et quand il y a de la peur en moi, je n'ai qu'une idée, lui faire la guerre, la soumettre, la posséder... Hélène! C'est la dernière nuit que nous passons ici, Geneviève et moi.

HÉLÈNE — Vous partez?

RENÉ — Oui. Et je ne sais pas dans combien d'années je reviendrai. Je ne sais pas non plus si ce sera avec Geneviève ou avec une autre, ou si je serai seul... Tu veux me la donner cette dernière nuit? *(L'étreint, elle se serre contre lui.)* Ce serait trop difficile de partir d'ici sans trop t'avoir connue. *(Elle lève son beau visage vers le sien. Il l'embrasse, mais en l'effleurant seulement, car déjà elle a retiré ses lèvres.)* Hélène! Je ne te veux qu'une seule fois pour m'en souvenir le reste de ma vie.

HÉLÈNE — Je le voudrais, René, mais essaie de comprendre une chose. Sans être une femme prude, je cède très peu souvent aux hommes, parce que j'aime mieux les admirer. Maintenant que d'une certaine manière j'ai appris à t'admirer je dois t'avouer que tu as beau jouer aux mauvais garnements, je sais que tu as du courage, René, et j'aime ton courage.

Elle se blottit contre lui tendrement. Il lui caresse les cheveux.

HÉLÈNE — Tu me laisses rentrer?
RENÉ, *pause* — Oui.
HÉLÈNE — Seule?
RENÉ, *pause* — Oui.
HÉLÈNE — Et tu me laisses dormir?... Parce que... parce que je suis fatiguée cette nuit?
RENÉ — Oui.
HÉLÈNE *le regarde et sourit avec gratitude* — Désormais, j'aimerai toujours traverser le pont du ruisseau.

René la regarde, lui sourit, hésite un moment et la laisse partir.

RENÉ, *avant qu'elle n'entre dans la maison* — Ce sera le pont d'Hélène.
HÉLÈNE — Ne t'inquiète pas pour Geneviève.
RENÉ — Non... C'était une belle nuit de la Saint-Jean.

Elle entre et referme la porte sur elle. Le visage de René se rembrunit. Lentement il délaisse la véranda pour se promener songeur dans le parc. Il va vers la rivière, en revient, il va vers la tonnelle et en revient aussi. Il s'arrête au milieu du décor, puis s'oriente tranquillement du côté de la maison où il entre sans bruit. Moment de silence et d'absence. Paraissent Ludovic et Geneviève enlacés sous la tonnelle. Geneviève a posé sa tête sur l'épaule de Ludovic.

LUDOVIC — Tu vois, je n'ai qu'un petit domaine. Mais il y a des arbres, une rivière, un ruisseau... Et puis cette maison un peu vieille. Je ne vis ici que six mois par année, mais le temps n'est pas loin où je pourrai me passer d'aller vivre à la ville les six autres mois. Je viendrai ici en permanence.

GENEVIÈVE — Tu es un homme merveilleux.

LUDOVIC — Mais non.

GENEVIÈVE — Mais oui. Tu me parles, tu me racontes les choses de ta vie. Je n'ai pas l'habitude, moi.

LUDOVIC — Tu es comme une enfant. Aussi limpide, aussi attentive devant les vieux messieurs.

GENEVIÈVE — Tu n'es pas un « vieux monsieur ».

LUDOVIC — Je le deviendrai bientôt... Tu veux rentrer?

GENEVIÈVE — Non. Je veux redescendre au bord de l'eau.

LUDOVIC — Moi aussi, c'est étrange. Voir notre feu qui s'éteint.

Ils contournent la maison et disparaissent vers l'arrière à gauche. Paraît René à la porte de la maison. On sent qu'il les a observés de la fenêtre. Il est quelque peu agité. Il va décider de les suivre, mais se ravise et, seul au milieu du parc, prend une profonde respiration et s'apaise. Résigné. Il ne bouge pas avant d'être redevenu froid devant l'événement.

RENÉ — Bon!... C'est comme ça... S'ils ne sont pas rentrés d'ici une demi-heure, c'est qu'elle se sera couchée sur les galets et je devrai admettre froidement, comme tout homme civilisé, que je suis cocu... J'espère qu'elle ne le brusquera pas trop, qu'elle va faire attention à sa clavicule... *(Bâille.)* Bon Dieu! J'ai sommeil... Ça m'étonne dans les circonstances...

Il jette un dernier regard en direction de la rivière, puis rentre quand même mal résigné, à la maison. Court moment de silence et d'absence. On entend le chant tardif d'un oiseau. Paraît Julie suivie de Jules qu'elle semble fuir.

JULIE, *mécontente* — Tu m'embêtes, tu m'embêtes épouvantablement...

JULES — Tu ne donnes pas l'impression d'être une môme prise d'épouvante.

JULIE — Tu sais que je pourrais me plaindre à la police et que tu pourrais te faire arrêter.

JULES — Je n'ai jamais eu peur de la gestapo de Sainte-Rosalie. Les fascistes, moi, je les emmerde.

JULIE — Gestapo, fascistes, je ne sais même pas de quoi tu parles.

JULES — Tu es de leur bord, j'ai laissé tomber mon idée de te faire militer dans mouvement de gauche.

JULIE — Cesse d'être à mes trousses alors.

JULES — Je veux savoir ce que tu cherches, ce que tu viens faire ici le soir, une fois ta journée de travail terminée. Il y a sûrement quelqu'un qui t'attire comme un aimant. Un de ces deux salauds bourrés de principes décrépits et de suffisance graisseuse.

JULIE — Ça ne te regarde pas, ma vie ne te regarde pas, ma vie n'est qu'à moi toute seule. Laisse-moi tranquille, disparais !

JULES — Pauvre petite « connasse ». Tu ne seras jamais qu'une pauvre petite « connasse » toute seule. Bientôt je ne serai plus là, mais il sera trop tard, tu auras besoin de mes lumières, mais il sera trop tard.

JULIE, *étrange* — Oui. Il est trop tard... *(Comme si elle parlait à quelqu'un d'autre.)* J'étais tout simplement venue voir couler le ruisseau, traverser le pont du ruisseau... Parce que je me souviendrai longtemps de cet été.

JULES — Qu'est-ce que tu racontes ?

JULIE, *vivement* — Va-t'en ou cache-toi ! Quelqu'un vient.

Elle le bouscule, le pousse dans l'ombre où elle-même se dissimule. Paraissent Ludovic et Geneviève au fond, remontant de la rivière. Ils marchent lentement, enlacés. Geneviève la tête posée sur l'épaule de Ludovic.

GENEVIÈVE — Je vais t'en vouloir, maintenant !

LUDOVIC — Pourquoi?

GENEVIÈVE — Parce que je ne pourrai pas oublier. J'aurai de la difficulté à retrouver ma vraie vie. La seule pour laquelle je suis faite.

LUDOVIC — Un de mes amis disait un jour que certaines femmes ne voyaient pas les choses merveilleuses qui sont en elles et que seuls quelques hommes devinaient. Toi, tu es transparente mais tu l'ignores.

GENEVIÈVE — Je ne suis faite que de peau, je parais légère, mais je suis lourde, lourde de peau, de chair, de désir... Mais toi pendant un certain moment, tu m'as détournée de ma réalité et maintenant je veux y revenir sans trop en souffrir.

LUDOVIC — Pourquoi? C'est peut-être seulement ce court moment que tu as été toi-même de toute ta vie.

GENEVIÈVE — Je ne le crois pas parce que je ne veux pas le croire. *(Se presse contre lui.)* Je t'en veux. Je te déteste. Je n'aime que René.

LUDOVIC — Je sais.

GENEVIÈVE — Non, tu ne sais rien. Embrasse-moi... *(Il ne bouge pas mais la regarde intensément.)* Embrasse-moi Ludovic « sans terre » et sans attache... Embrasse-moi comme tu peux embrasser une femme.

Il prend son visage lentement avec une infinie tendresse dans le creux de ses deux mains et l'embrasse très longuement. Et c'est elle qui se détache de lui avec une prudence qu'on ne lui connaît pas.

LUDOVIC — Moi, je ne te déteste pas... Je t'aime ! Geneviève.

GENEVIÈVE — Oui peut-être. Mais je ne t'apporterai jamais ce que tu cherches.

Elle lui tourne lentement le dos et se dirige vers la maison.

LUDOVIC — Gen... viève.

GENEVIÈVE, *qui s'arrête à peine* — Tu fais une erreur de personne... C'est Hélène que tu appelles... Mais pourquoi la fuis-tu maintenant qu'elle est là ?

Et elle pénètre dans la maison, laissant Ludovic interdit et immobile.

LUDOVIC, *après un temps* — Pourquoi refusent-elles toutes de voir ce que je vois ?

Il pivote sur lui-même, regarde tout autour et se résigne à entrer à son tour. Aussitôt Julie sort de l'ombre et tout près d'elle Jules.

JULES — Ils sont raffinés et « kétaines » les croulants, ils jouent à cache-cache... *(Julie ne l'écoute pas, elle est décontenancée, un peu perdue.)* C'est ce monde-là qui t'attire ?... Leurs p'tites parties carrées organisées à la campagne ?... Hein ?... *(Julie ne bouge pas, elle est près des larmes.)* Réponds !... Tu ne vois pas que ce sont des malades, des ruines d'un autre âge ?...

JULIE *ne lui répond pas, mais reste accrochée à ce qu'elle vient de voir* — Hélène !... Hélène !... Pourquoi les laissez-vous faire ?

Éclatant en sanglots, elle s'enfuit rapidement. Étonné, Jules tente vainement de la retenir.

JULES — Julie!... *(l'appelant)* Julie!... Julie!...

Et il part derrière elle. Noir total.

Cinquième tableau

«Un départ qui n'a rien de précipité ni d'imprévu et qui s'explique. Quand la jalousie... Enfin!»

Le lendemain après-midi. C'est une autre journée de plein soleil. Nous retrouvons Ludovic et Julie vêtus de la même façon qu'au premier tableau, vaquant à la même occupation, et le décor est aussi intact qu'au lever du rideau. Cependant Ludovic est un peu plus taciturne et Julie semble éprouver du mal à sourire.

LUDOVIC, *dictant* — « Puisque cette histoire tire à sa fin, je dois rappeler au lecteur que Paula n'aimait et n'avait jamais aimé qu'une seule personne au monde, c'est-à-dire elle-même... »
JULIE *réagit* — Votre lecteur ne le croira pas.
LUDOVIC — Pourquoi ?
JULIE — Parce que ce n'est pas possible.
LUDOVIC — C'est vraisemblable pour moi et c'est ce qui compte... Je continue... « c'est-à-dire elle-même. »... Ce soir-là, le dixième qu'elle passait loin de Vincent, Paula était nue dans sa chambre et admirait son corps paré de bijoux dans la haute glace de sa porte fermée. Elle savait que là-bas Vincent souffrait profondément de son absence, mais cela la laissait indifférente. Un voyage en Grèce ! Mais dans quelles conditions et avec quel argent ? Il est vrai que Vincent allait toujours au bout de ses projets en faisant ce qu'il

appelait des miracles. Mais Paula était fatiguée de ces miracles qui s'accompagnaient de marasmes. Comme d'habitude, Vincent réussirait à vendre quelque toiles, quelques pièces sculptées à des hommes d'affaires très riches. Et il vivrait ainsi encore combien d'années? Impossible à dire. Les mécènes finissent toujours par se lasser de leurs poulains comme de leurs maîtresses. Le téléphone sonna. Paula regarda l'heure et se dit que c'était Vincent. Elle ne se hâta pas pour répondre. Le temps de s'admirer une autre fois dans la glace et d'inventer un nouveau prétexte pour remettre son retour à plus tard et elle décrocha. Ce n'était pas Vincent, mais Boris. Un homme dans la cinquantaine et bedonnant, importateur de profession. Elle ne le connaissait que depuis une semaine et avait accepté de dîner avec lui trois jours auparavant. Il avait amassé une bonne fortune et aimait offrir des bijoux aux femmes qui n'étaient pas la sienne. S'il téléphonait à Paula c'était pour lui offrir un voyage de dix jours à Rome et d'une semaine à Paris. Il avait les deux billets d'avion dans sa poche et ne voyageait qu'en première classe. Paula hésita un moment pour la forme puis se dit pourquoi pas? Et le lendemain elle partit pour Rome avec Boris sans prévenir Vincent qu'elle avait rompu à tout jamais avec lui. Sans trop le laisser voir, les femmes ont une peur maladive de l'insécurité et, sans trop le laisser voir non plus, elles ont besoin d'être comblées, qu'on les couvre de bijoux. Les bijoux sont plus tangibles que les rêves. Les femmes bien sûr inspirent la poésie, mais n'en vivent pas, sauf quand elles s'ennuient de ne plus savoir rêver. Fin.»

Silence. Julie n'ose pas regarder Ludovic qui, lui, semble fixer quelque chose de vague devant lui.

JULIE, *d'une petite voix* — C'est tout?

LUDOVIC — Oui. Habituellement quand on écrit le mot fin, c'est qu'on n'a plus rien à dire.

JULIE — J'aurais préféré une fin heureuse comme je vous ai dit, mais...

LUDOVIC *la coupe* — J'aimerais que vous me tapiez ça ce soir et que vous postiez la nouvelle demain.

JULIE, *avec un peu de regret* — Oui... C'est probablement le dernier travail que j'aurai fait pour vous.

LUDOVIC — Je ne sais pas, Julie... Quand on construit des ponts on n'a pas nécessairement les moyens de payer une secrétaire à l'année.

JULIE *l'interrompt* — Vous aurez toujours besoin d'une secrétaire pour taper vos textes à la machine puisque vous écrivez à la main.

LUDOVIC — Quelques heures par semaine tout au plus. Ce n'est pas ça qui vous ferait vivre.

JULIE — Ce qui m'a fait vivre depuis que je suis à votre emploi ce n'est pas surtout l'argent...

Ludovic la regarde, va lui répliquer quelque chose, mais se ravise lorsqu'il voit paraître Geneviève et René suivis d'Hélène sur la véranda. Geneviève et René sont sur leur départ et ont revêtu les costumes qu'ils portaient à leur arrivée. Évidemment Geneviève porte les deux valises, mais les déposera au milieu du jardin, au moment des adieux.

RENÉ — Ludovic! C'est à regret que nous devons partir. Je sais qu'on te manquera, mais le destin nous attend ailleurs.

LUDOVIC — Le destin! Mais tu n'as jamais tenu compte du destin!

GENEVIÈVE — C'est un mot que je lui ai appris ce matin quand je lui ai dit que c'était le destin de tous les hommes d'être cocus...

HÉLÈNE — Vous partez en lune de miel ou sur un chantier?

GENEVIÈVE — Sur un chantier.

RENÉ — Mais ce sera la lune de miel toutes les nuits... *(À Julie:)* Toi, tu n'as pas envie de devenir secrétaire sur la Côte Nord? Je te trouverais un bon p'tit emploi... On t'adopterait, tu serais comme... comme notre fille. *(À Geneviève:)* Qu'est-ce que t'en dis?

GENEVIÈVE — J'en dis qu'elle est bien ici. Que Ludovic a plus besoin d'elle que toi et que tu n'es pas qualifié pour être son père.

Ludovic et Julie se sont regardés.

HÉLÈNE, *à Geneviève et René* — J'espère que nous aurons l'occasion de nous revoir.

RENÉ — On ne peut pas le promettre. Nous autres, on n'est pas des sédentaires, on est des pèlerins de pays à ouvrir. Mais peut-être que dans un an ou dans cinq ans... Non, pas dans cinq ans, Ludovic sera déjà enterré.

GENEVIÈVE — Il pourrait bien te survivre, mon amour.

RENÉ — Je ne le pense pas. L'écriture tue son homme vite parce que ça ne le fait pas manger. Ça c'est prouvé... Julie!...

JULIE — Oui, monsieur?

RENÉ — Si on revient ce sera pour Hélène et pour toi.

JULIE — Je ne serai plus ici, monsieur.

HÉLÈNE — Et moi, à moins d'un hasard que je ne prévois pas, je serai sûrement ailleurs.

Ludovic réagit.

GENEVIÈVE, *sans trop bien cacher son émotion* — C'est un homme qui mérite autre chose que de rester tout seul.

LUDOVIC — C'est ce que j'ai longtemps choisi, Geneviève. Vous savez? Je m'accorde mal avec l'évolution du monde actuel.

HÉLÈNE — Il s'accorde surtout mal avec ses sentiments.

Moment inconfortable et court silence.

RENÉ — Bon! Les meilleures choses ont une fin et puis moi je suis pas une tache de graisse. *(Va à Hélène et l'embrasse.)* Les choses sont restées ce qu'elles devaient être. Je suis un muffle, mais j'oublie pas certaines heures précieuses. *(Va à Julie et l'embrasse même si elle ne sait pas quelle contenance prendre.)* Toi, je t'ai mal connue, mais tu fais bien dans le décor. Si jamais t'as peur de la vie, dis-toi que la peur c'est une chienne qui crève à la longue. *(Va à Ludovic et lui serre la main.)* Mon vieux Ludovic... notre pont va durer cent ans. Les œuvres bien faites c'est comme l'amitié, ça meurt pas.

Geneviève embrasse Julie et Hélène en silence puis s'arrête devant Ludovic.

GENEVIÈVE — Le destin c'est une chose qu'il faut accepter? contre laquelle on ne peut rien?

Ludovic fait «oui» de la tête.

GENEVIÈVE — On était née pour une chose et ça ne donne rien de vouloir changer quoi que ce soit?

LUDOVIC — L'important, je pense... et je ne suis certain de rien... l'important c'est de croire... d'espérer que la vie ne nous fera pas trop mal.

HÉLÈNE — La vie, il faut l'aimer à tout prix, Geneviève, et il faut s'aimer un peu soi-même.

GENEVIÈVE — Oui...

Elle les regarde tous puis s'en va.

RENÉ — Hé! Mon trésor, t'oublies les valises!

GENEVIÈVE, *sous la tonnelle* — C'est à ton tour de les porter maintenant.

Elle sort.

RENÉ, *pris par surprise* — Je l'avais bien dressée pourtant et puis on me l'a changée... *(Les regarde tous.)* Le séjour a été agréable, je repasserai un jour... *(À Ludovic:)* Si tu trouves rien pour le pont, baptise-le « Toutoune »...

Il éclate d'un grand rire et sort. Moment de silence. Quelques instants plus tard on entendra la voiture de René démarrer.

HÉLÈNE, *à Ludovic* — Tu es heureux?
LUDOVIC — De quoi?
HÉLÈNE — Le vide commence à se faire autour de toi.
LUDOVIC — Tu es là, tu restes, c'est ce qui m'importe. Nous avons à nous parler maintenant.
HÉLÈNE — Maintenant!... Maintenant que ton «flirt» avec Geneviève est du domaine du passé?
LUDOVIC — J'avais connu la première femme de René, je voulais savoir pourquoi il l'avait répudiée et pour qui?
HÉLÈNE — Tu y as mis du temps!
LUDOVIC — Ne me fais pas de reproches, s'il te plaît.
JULIE, *qui toussotte, à Ludovic* — Je peux partir?
LUDOVIC, *quelque peu perdu* — Partir?... Pourquoi?... C'est-à-dire que oui.

Le téléphone sonne sous le saule.

LUDOVIC — Mais avant, voulez-vous répondre, Julie?

Elle obéit.

HÉLÈNE — Tu serais un autre homme que je perdrais toute considération pour toi.
LUDOVIC — Mais je ne suis pas un autre homme et si tu perdais toute considération pour moi, je...

Il n'achève pas. Il écoute Julie qui répond à l'appareil.

JULIE — Allo!... À qui?... Un instant, s'il vous plaît...

Elle se dégage des feuillages du saule et reparaît.

JULIE — C'est pour vous, Hélène. C'est un monsieur Boris je sais pas trop qui. Je n'ai pas compris son autre nom.

Ludovic et Julie se regardent.

HÉLÈNE — Tiens! Je l'avais oublié, lui.
LUDOVIC — Mais tu lui avais donné mon numéro de téléphone.
HÉLÈNE — Je ne suis pas venue ici pour être séquestrée.

Elle va sous le saule répondre à l'appel. Julie n'ose regarder Ludovic.

HÉLÈNE — Bonjour Boris, comment vas-tu?... Moi aussi, très bien... Après demain? C'est un peu vite, mais... Non, je n'ai pas encore changé mes plans... Mais il faudrait que je te rappelle, Boris... Où seras-tu demain après-midi?... Vers cinq heures?... Bon, c'est ça, je te donnerai ma réponse... Si je ne peux pas, tu ne seras pas en peine pour trouver quelqu'un d'autre... À demain, ciaô !

Elle a raccroché et reparaît après avoir écarté les branches du saule.

LUDOVIC, *sans agressivité* — Qui est Boris ?
HÉLÈNE — Je ne t'en ai jamais parlé ?... C'est un avocat. Il est juif et il est né en Russie, mais il a immigré à Montréal avec sa famille après la guerre. Il a cinquante-deux ans. C'est un homme très élégant et je l'aime bien... Je dois partir en vacances, tu le sais, et il m'offre que nous fassions le voyage ensemble. Sa compagnie me serait très agréable.
LUDOVIC — Tu vas accepter ?
HÉLÈNE — Probablement... Excusez-moi tous les deux, il a fait chaud aujourd'hui et j'ai besoin de me rafraîchir.

Elle s'éloigne d'eux et pénètre dans la maison. Silence. Julie et Ludovic sont inconfortables.

JULIE — C'est effrayant !
LUDOVIC — Quoi ?
JULIE — On aurait dit que vous aviez tout prévu.
LUDOVIC — La ressemblance avec la nouvelle ?
JULIE — Oui.
LUDOVIC, *sincère* — C'est seulement un hasard.
JULIE — Mais vous ne la laisserez pas partir !
LUDOVIC — Pourquoi ?
JULIE — Parce qu'elle n'est pas Paula.

LUDOVIC — Mais elle est une femme. Et les femmes partent.
JULIE — Vous dites des mots. Hélène vous aime et vous l'aimez.
LUDOVIC — Les femmes sont comme le temps, elles passent.
JULIE — Elles ne sont pas toutes pareilles.
LUDOVIC — Au début non. Mais après quelques mois, quelques années, elles tuent la poésie, elles tuent l'amour et la grâce.
JULIE — Je ne veux pas qu'elle vous laisse tout seul.
LUDOVIC — Si elle me laisse, c'est parce que je n'aurai pas su ou pas voulu la retenir... Mais vous, Julie... il me semble que quelqu'un vous appelait la nuit dernière... Je ne dormais pas tout à fait et j'ai entendu la voix d'un garçon qui criait dans la nuit!... Est-ce que par hasard ce n'était pas ce petit imbécile de Jules Lévy?
JULIE *penche la tête avant de répondre* — Oui.
LUDOVIC — Ma question est indiscrète, mais est-ce qu'il est amoureux de vous?
JULIE — Il me suit partout et j'ai pitié de lui.
LUDOVIC — N'ayez jamais pitié d'un garçon, c'est un sentiment dangereux. N'ayez de la compassion que pour le profond chagrin d'un homme, cela c'est autre chose.
JULIE — Il y a une différence entre les deux?
LUDOVIC — Oui, vous l'apprendrez.

Julie ramasse la paperasse et ses choses.

JULIE, *avec un sourire qui lui fait mal* — Il me reste bien des choses à apprendre, hein?

LUDOVIC — Mais vous avez le temps.

JULIE — Je les apprendrai.

Elle va sous le feuillage chercher sa bicyclette et se prépare à partir.

LUDOVIC — N'oubliez pas le bureau de poste demain matin.

JULIE — Je n'oublie rien de ce que vous me demandez... ni de ce que vous me dites.

LUDOVIC — Vous m'avez... *(Se reprend.)* Vous m'êtes précieuse.

JULIE — Dites-moi comment on fait pour ne pas avoir peur des choses qui finissent?

LUDOVIC — On pense aux choses qui vont commencer et qu'on ne connaît pas encore.

JULIE — Vous me faites toujours des réponses pour me rassurer, mais j'ai quand même peur. À demain, monsieur.

LUDOVIC — Je m'appelle Ludovic. C'est un nom ancien, mais je l'ai toujours porté sans craindre le ridicule. Notre vie, Julie, commence le jour de notre baptême.

JULIE — Oui... *(Hésite un moment.)* Essayez de ne pas oublier qu'Hélène vous aime.

LUDOVIC *sourit* — Oui... *(La regarde partir et dit doucement avec tendresse.)* Julie... Comme c'est beau parfois l'été...

Et comme il va se diriger vers la villa, Hélène en sort, vêtue comme au soir de la Saint-Jean.

HÉLÈNE — À quelle heure veux-tu dîner, mon chéri ?

LUDOVIC — Je ne sais pas. En ce moment je n'ai pas faim du tout... Mais plus tard.

HÉLÈNE — Je vais quand même commencer à préparer les choses lentement. Nous dînerons dehors, en prenant bien notre temps, jusqu'à ce qu'il fasse nuit, ce qui nous permettra d'allumer des chandelles et quand la fraîcheur sera tombée je me couvrirai d'un châle.

Elle sourit comme si elle était parfaitement heureuse et va rentrer de nouveau.

LUDOVIC, *sur les marches du perron, l'arrête dans son mouvement* — Hélène !

HÉLÈNE *se tourne vers lui* — Oui ?

LUDOVIC — Je voudrais... J'aimerais que tu restes avec moi.

HÉLÈNE — Mais c'est ce que je fais. Mon avion n'est que dans deux jours.

LUDOVIC — J'aimerais que tu restes avec moi pour le reste de ma vie.

HÉLÈNE *va vers lui quelque peu interdite* — Pourquoi me demandes-tu ça ?

LUDOVIC — Parce que je sais aujourd'hui que tu es la seule femme que j'aie jamais aimée.

HÉLÈNE *pose ses deux mains sur les épaules de Ludovic, émue* — Tu as mis beaucoup de temps à découvrir ça, Ludovic.

LUDOVIC — Et j'espère seulement qu'il n'est pas trop tard.

HÉLÈNE — Tu m'aimes à ta façon et moi aussi je t'aime à ma façon. Mais est-ce qu'il est possible que nous soyons vraiment l'un à l'autre pour toujours?

LUDOVIC — Je le crois.

Il la presse contre lui.

HÉLÈNE — Tu es un homme au cœur si mobile.

LUDOVIC — Trop absolu, je le sais, mais il va bientôt se faire tard dans ma vie et j'aimerais connaître le bonheur de vivre à deux.

HÉLÈNE — Ludovic! *(Comme si elle voulait dire: «mais c'est beaucoup me demander»)* Pourras-tu seulement durer? *(Comme si elle disait: «je ne veux pas souffrir à cause de toi»)* Hein?... Réponds.

LUDOVIC — Oui.

Il l'embrasse amoureusement et toutes les lumières s'éteignent.

Sixième tableau

«Les projets avortés sont comme l'imprévu, ils sont inévitables et c'est par le rêve que l'on arrive à contourner le destin.»

Deux jours ont passé. Il est environ six heures trente du soir. La veillée s'annonce en douceur, mais elle sera difficile pour Ludovic. Présentement il est seul en scène et paraît très anxieux. Il va, de-ci, de-là, sans but précis, incapable de s'asseoir ou de rester immobile. Le téléphone sonne sous le saule. Il n'a pas envie de répondre, mais y va quand même.

LUDOVIC — Allo!... Oui Julie... Vous pouvez passer, mais un peu plus tard seulement... C'est ça, nous règlerons nos choses... À tout à l'heure, oui.

Il met un certain temps à reparaître, plus songeur que jamais. La porte de la villa s'ouvre et Hélène sort de la maison vêtue comme à son arrivée et portant sa valise car elle a pris la décision de partir.

LUDOVIC — Je t'ai laissée seule dans la maison pour ne pas te voir boucler ta valise, mais jusqu'à la dernière seconde j'ai espéré que tu reviendrais sur ta décision.

HÉLÈNE — Nous avons beaucoup parlé et beaucoup réfléchi au cours des deux derniers jours et je t'ai apporté l'affection que tu attendais de moi et que j'avais envie de te donner. Mais...

LUDOVIC — Mais tu pars quand même.

HÉLÈNE — Oui. Seule. Pas avec Boris. Je vais m'offrir les vacances que j'avais planifiées. J'en ai grandement besoin. Et puis après j'aurai à reprendre ma boutique et mes affaires en main. J'aurai besoin d'un certain courage, je l'avoue, mais je le ferai.

LUDOVIC — Je serais odieux de vouloir te retenir plus longtemps, n'est-ce pas?

HÉLÈNE — Non, mais tu ne me faciliterais pas les choses... J'aurais été fière de devenir ta femme et de porter ton nom, mais te connaissant je sais à peu près quelle vie nous aurions eue.

LUDOVIC — Quelle vie?

HÉLÈNE — Dans les premiers temps cela aurait été merveilleux. Mais après...

LUDOVIC — J'aurais tout gâché?

HÉLÈNE — Pas exactement. Tu aurais fait de moi ta servante, ou si tu préfères la gouvernante de ta maison ici et de ton appartement à la ville.

LUDOVIC — Mais non, tu aurais continué comme avant, tu aurais eu ton travail, tu aurais gardé ta boutique.

HÉLÈNE — Pas si je t'avais épousé. Si je t'avais épousé, je serais devenue ton amante vingt-quatre heures par jour. Je me serais débarrassée de ma boutique et de tout et je ne t'aurais même plus laissé suffisamment de temps pour écrire. Tu comprends, j'aurais usé ma propre liberté à t'aimer. Et tu te serais lassé. D'une certaine manière tu as besoin de moi, je te crois profondément sincère, mais d'une autre manière je suis certaine que tu aurais changé avec le temps. Moi aussi je suis absolue, mais on en meurt de tant chercher l'amour...

Coups de klaxon rapprochés du taxi en coulisse.

LUDOVIC — Tu avais déjà appelé le taxi ?

HÉLÈNE — Mais oui, c'était dans l'ordre des choses... Embrasse-moi maintenant et souhaite-moi bon voyage.

Il l'étreint dans ses bras, avec désespoir presque, mais ne l'embrasse pas.

LUDOVIC — Pars vite maintenant et excuse-moi de ne pas aller jusqu'au taxi.

HÉLÈNE, *profondément remuée, s'éloigne de quelques pas* — À mon retour... nous pourrons nous revoir... comme avant... si tu le veux...

Elle le regarde une dernière fois et sort rapidement. Ludovic reste immobile un long moment, puis lentement, donnant l'impression d'un homme battu, rentre chez lui. Silence suivi de chants d'oiseau dans les feuillages des alentours. Paraît Julie marchant à côté de sa bicyclette. Elle va pénétrer dans le jardin lorsqu'elle est rejointe par Jules Lévy tout essoufflé.

JULIE — Ah ! non. Pas encore toi.

JULES — J'ai couru... J'ai couru... Je voulais te parler...

JULIE — Tu veux toujours me parler, mais tu n'as rien à me dire...

JULES — C'est parce que... c'est parce que tu n'es pas sur la bonne longueur d'onde...

JULIE — Je m'en fiche de ta longueur d'onde.

JULES — J'ai appris que tu avais fini ici et je voulais... je voulais...

JULIE — Et tu voulais importuner une dernière fois mon patron...

JULES — Non. Je n'aurai pas besoin de lui finalement. Je n'aurai pas à me prostituer à jouer dans une de ses pièces, j'ai quelque chose de bien plus fantastique que ça... Montréal m'appelle, Montréal m'attend... Les Ookpikes m'ont téléphoné, ils ont besoin de mes services.

JULIE — C'est un club de football ?

JULES — Non c'est un groupe de théâtre composé uniquement de jeunes. Nous allons créer des pièces écrites par des jeunes, pour des jeunes. Même les administrateurs et le propriétaire du théâtre sont des jeunes. Alors là, hein, salut Sainte-Rosalie, salut le vieux Santerre, tu peux rester dans ta poussière et dans tes fils d'araignée. *(Julie le regarde avec une froideur qu'on ne lui connaissait pas.)* Dis quelque chose, me regarde pas comme si je venais de te raconter une histoire.

JULIE — Salut Jules Lévy! Reste jeune longtemps et conserve ta tête heureuse. Moi je t'ai assez vu.

JULES — Mais non, je t'emmène avec moi. Il y a une place pour toi dans le groupe.

JULIE — Ce n'est pas mon métier de jouer au théâtre.

JULES — Mais tu ne joueras pas, tu seras habilleuse et puis on se prendra un p'tit appartement ensemble. À moins que les Ookpiks ne s'organisent en commune.

JULIE — Je suis secrétaire, rien d'autre, et je ne prends pas de p'tit appartement avec un type comme toi et je peux me passer des services communautaires des Ookpiks.

JULES — Tu refuses une offre aussi sensass?

JULIE — Je ne la refuse pas, je ne la considère même pas.

JULES — Pour rester toute ta vie l'esclave d'un système pourri dans ses assises même?

JULIE — Non. Pour gagner tout simplement mon pain de chaque jour.

JULES — Merde alors! C'est de la connerie monumentale. Refuser l'offre des Ookpiks! Faut être plutôt cinglé.

JULIE — Tu n'as plus rien à faire ici. Pars pour Montréal parce que je sens que les Ookpiks s'impatientent et que je ne suis pas loin de te haïr du fond de mon cœur.

JULES — Bon, je te laisse quand même jusqu'à demain matin, tu auras la nuit pour y penser. Je peux pas t'attendre plus longtemps même si je suis «high» quand je te vois. À demain matin. Je «petidéjeunerai» à l'auberge.

Il sort. Julie, préoccupée par autre chose, s'avance dans le parc avec sa bicyclette qu'elle appuie contre la table du jardin. Dans le panier avant de la bicyclette elle prend les manuscrits et la machine à écrire qui s'y trouvent avant de se diriger vers la porte d'entrée de la villa où elle sonne. Elle doit attendre un bon moment avant que Ludovic ne vienne ouvrir. Il paraît défait et il a un verre à la main. Il essaie tant bien que mal de sourire dès qu'il voit Julie et il fait quelques pas sur la véranda.

JULIE — Est-ce que je suis venue trop tôt?
LUDOVIC — Mais non... Prendriez-vous un verre?
JULIE — Je vous remercie... Je vous rapporte votre machine à écrire et les originaux de vos manuscrits.
LUDOVIC — Donnez.

Il prend la machine à écrire et l'épaisse enveloppe et descend dans le jardin pour les poser sur la table.

LUDOVIC — C'est une autre belle soirée, hein Julie?
JULIE — Oui... Votre amie Hélène est partie?
LUDOVIC — Oui.
JULIE — Pour longtemps?
LUDOVIC — Je le pense.
JULIE — J'ai croisé son taxi en venant. Elle a demandé au chauffeur d'arrêter, elle est descendue et elle m'a prise dans ses bras. Elle ne m'a pas dit un seul mot. Elle m'a serrée dans ses bras et je me suis aperçue

qu'elle pleurait. Puis elle est remontée dans la voiture et elle est repartie.

LUDOVIC *sourit en faisant un dur effort* — Il y aura un peu moins de vie autour d'ici... Dans quelques jours j'entreprendrai peut-être la rédaction de mon troisième roman. Mais je n'en suis pas sûr... Je ne sais pas encore... Ce n'est jamais facile d'écrire, c'est comme si c'était toujours la première fois... comme si on n'avait jamais rien fait et que tout était à recommencer. *(Lui tend une enveloppe blanche.)* Ce sont vos honoraires, si vous voulez vérifier...

JULIE — Voyons ! Pourquoi vérifier, vous avez toujours été juste avec moi.

LUDOVIC — J'ai téléphoné à l'auberge, ils vont me faire parvenir le dernier compte de votre pension.

JULIE — Ils me l'ont dit.

On entend la plainte étrange d'un oiseau. L'éclairage a déjà commencé à baisser.

LUDOVIC — Tiens c'est la plainte de la tourterelle triste. C'est la première fois qu'elle chante cet été.

JULIE — Je ne l'avais jamais entendue. Je ne savais même pas qu'il y avait des tourterelles tristes.

LUDOVIC — C'est un bel oiseau, mais qui se cache... Parfois elles sont deux et elles se répondent. Comme un dialogue d'amour.

JULIE — Vous savez?... Je suis très gênée de vous offrir ça, mais vous savez... Je pourrais travailler encore quelque temps pour vous, sans salaire...

LUDOVIC — Non, Julie...

JULIE — Je verrais à l'entretien de la maison, je préparerais vos repas et quand vous vous mettrez à écrire je copierai vos textes à la machine.

LUDOVIC *lui caresse la tête avec tendresse* — Merci, Julie... Les jeunes filles comme vous doivent être rares, mais il faut leur refuser...

JULIE — Pourquoi ?

LUDOVIC — Parce qu'une autre fois je dois être suffisamment courageux... avoir la force morale de rester seul.

JULIE — Il n'y avait qu'Hélène qui aurait pu quelque chose, hein ?

LUDOVIC — C'est une femme très lucide et c'est pour ça qu'elle est partie. Partez vous aussi, Julie, même si je vois que vous me manquerez.

JULIE — Vous aussi, vous me manquerez.

LUDOVIC *sourit encore* — Vous n'avez pas besoin d'un père, vous êtes à l'âge de faire votre vie, d'être indépendante et libre.

JULIE — Qu'est-ce que c'est être indépendante et libre quand on ne vit pas pour un autre ?

LUDOVIC — Vous êtes belle Julie, vous êtes généreuse et clairvoyante, cela viendra un jour. Mais tout ce que je souhaite, c'est que vous ne vous perdiez pas entre les bras d'un enfant de salaud ou d'un jeune crétin prétentieux qui ne songera qu'à abuser de votre bonté.

JULIE — Je n'ai rien du personnage de Paula qui n'aimait et qui ne vivait que pour elle-même, mais j'ai déjà appris à me défendre et je me respecte suffisamment pour que les autres apprennent à me respecter.

Une autre fois Ludovic lui caresse les cheveux avec tendresse. Un train passe au loin.

LUDOVIC — Tiens! Le train de sept heures trente.

JULIE — C'est le moment?

LUDOVIC *fait signe que «oui»* — «Vaya con dios» comme dit une chanson. Que les dieux vous accompagnent. Que la chance vous soit toujours favorable.

Vivement, Julie embrasse Ludovic sur les deux joues sans ajouter un mot. Ludovic esquisse un geste des bras comme s'il avait voulu la retenir un peu plus longtemps et puis les laisse tomber comme si tout était devenu vain, inutile. L'éclairage s'assombrit davantage. Ludovic reste immobile un long moment puis très lentement regarde tout autour de lui. Des étoiles commencent à luire dans le ciel.

LUDOVIC — Ce n'est que le début de juillet... toutes les pivoines sont ouvertes. Les feuillages des arbres sont lourds de chaleur et murmurent paresseusement quand la brise du soir se lève... C'est le temps des fraises sauvages et des mûres des bois... Je suis un homme de quarante-huit ans qui entre avec tristesse et fébrilité dans le sanctuaire somptueux de l'été, entouré d'une nature abondante et riche, mais impassible, insensible à sa solitude... Les fleurs sont capiteuses, leurs parfums sont ceux que se mettent les femmes avant de s'abandonner nues dans les draps tièdes et blancs de l'amour... L'été... Qu'est-ce que l'été?... Pourquoi mon Dieu! une si belle saison pour l'homme démuni que je suis devenu?... *(Appelle doucement:)* Hélène!... Elle ne répondra plus... Geneviève!... Elle aussi s'est tue pour toujours... Il n'y avait plus que toi, Julie, tu étais là tout à l'heure, faite à l'image même de l'été et je ne t'ai pas retenue... *(Appelle encore doucement tandis que se fait la nuit:)* Julie... Julie... Julie... Je suis seule dans ma nuit...

Julie paraît sous la tonnelle plus ravissante que jamais, vêtue d'une robe légère, jaune soleil. Elle reste là immobile jusqu'à ce que Ludovic la découvre.

LUDOVIC — Julie?... Vous êtes revenue?... Pourquoi?...
JULIE — Vous m'avez appelée... j'ai entendu mon nom... Vous le dites si bien et je suis là parce que vous m'avez appelée par mon nom...
LUDOVIC — C'est l'été, Julie... Vous êtes l'été...

Lentement, très lentement, il va vers elle et lui prend la main.

LUDOVIC — Il y a de la fraîcheur, est-ce que tu veux un châle?

JULIE — Non. Je suis bien. J'ai toujours été bien ici et c'est pour ça que je ne voulais plus partir, c'est pour ça que je suis revenue quand tu m'as appelée.

LUDOVIC — Tu veux toujours que je te garde?

JULIE — Oui.

Et elle se blottit dans ses bras. Il la presse contre lui un moment, puis se détache lentement d'elle, mais en continuant de lui tenir la main. L'éclairage change. Graduellement, il passera de la nuit au matin pendant que Julie et Ludovic feront au ralenti presque le tour complet du jardin et que la voix de femme du début chantera le dernier couplet de la chanson.

VOIX DE FEMME —

« L'été est venu »
« Balayer les amours mortes »
« L'été est venu »
« Frapper à chaque porte »
« Se sont ouvertes les roses »
« Le soleil luit sur chaque chose »
« L'été est venu »
« Et les dahlias et les pivoines »
« Ont éclaté »
« De beauté »
« Et les filles aux cheveux d'avoine »
« Ont donné leur nom aux cœurs brisés »
« Les peines sont mortes »
« Avec les chagrins »
« Les amours fleurissent en cohorte »
« Les amants se donnent la main »

« Les ruisseaux et les rivières »
« Charrient des diamants »
« Lumineux comme les pierres »
« Que les femmes portent en valsant »
« L'été est venu »
« Graver nos noms sur les arbres »
« L'été est venu »
« Sculpter nos prières dans le marbre »
« Et les oiseaux chantent ou pleurent »
« Les enfants rient ou versent des larmes »
« L'été est venu à son heure »
« Avec la vie en couronne »
« Et sont disparues nos alarmes »
« L'été est venu et les hommes »
« Chantent la beauté du monde »
« Et l'éclatement du cœur »
« L'été est venu comme le seul bonheur »

Julie et Ludovic sont debout, immobiles, face au public, se tenant la main, et leur visage est inondé de soleil. Rideau et fin de la pièce.

TABLE

DU MÊME AUTEUR

— *Zone*; Éditions de la Cascade, 1955, épuisé. Les Écrits du Canada français, Vol. II, épuisé. Collection Théâtre canadien, numéro 1, Leméac, 1968.

— *Le train du Nord*; courte nouvelle. Les Éditions du Jour, 1961, épuisé.

— *Les beaux dimanches*; Collection Théâtre canadien, numéro 3, Leméac, 1968.

— *Octobre*; Les Écrits du Canada français, Vol. XVII.

— *Virginie*; Les Écrits du Canada français, Vol. XXIV. Tiré à part aux frais de l'auteur. Collection Théâtre canadien, numéro 37, Leméac, 1974.

— *Un simple soldat*; L'Institut Littéraire du Québec, 1958, épuisé. Les Éditions de l'Homme, 1967.

— *Textes et Documents*; Leméac, 1968. Nouvelle édition: Collection Documents, numéro 6, Leméac, 1973.

— *Florence*; Les Écrits du Canada français, Vol. IV, texte pour la télévision, épuisé. L'Institut Littéraire du Québec, 1960, épuisé. Collection Théâtre canadien, numéro 16, Leméac, 1970.

— *Le temps des lilas*; L'Institut Littéraire du Québec, 1958, épuisé. Collection Théâtre canadien, numéro 7, Leméac, 1969.

— *Bilan*; Collection Théâtre canadien, numéro 4, Leméac, 1968.

— *Pauvre amour*; Collection Théâtre canadien, numéro 6, Leméac, 1968.

—*Hold-up*; (En collaboration avec Louis-Georges Carrier.) Collection Répertoire québécois, numéro 1, Leméac, 1969.

—*Au retour des oies blanches*; Collection Théâtre canadien, numéro 10, Leméac, 1969.

—*Le coup de l'étrier* et *Avant de t'en aller*; (deux pièces en un acte). Collection Théâtre canadien, numéro 17, Leméac, 1970.

—*Un matin comme les autres*; Collection Théâtre canadien, numéro 14, Leméac, 1971.

—*Le naufragé*; Collection Théâtre canadien, numéro 22, Leméac, 1971.

—*Entre midi et soir*; Collection Le Monde de Marcel Dubé, numéro 1, Leméac, 1971.

—*L'échéance du vendredi* et *Paradis perdu*; Collection Répertoire québécois, numéro 20/21, Leméac, 1972.

—*Médée*; Collection Théâtre canadien, numéro 27, Leméac, 1973.

—*Manuel*; Collection Les Beaux Textes, Leméac, 1973.

—*La cellule*; Collection Le Monde de Marcel Dubé, numéro 2, Leméac, 1974.

—*Jérémie*; (argument de ballet), Collection Spectacles, numéro 1, Leméac, 1973.

—*De l'autre côté du mur,* suivi de cinq courtes pièces; Collection Théâtre canadien, numéro 29, Leméac, 1973.

—*La tragédie est un acte de foi*; Collection Documents, (Textes et documents, deuxième partie.) Leméac, 1973.

DANS LA MÊME COLLECTION

1. *Zone* de Marcel Dubé, introduction de Maximilien Laroche, 187 p.
2. *Hier, les enfants dansaient* de Gratien Gélinas, introduction de Jacques Laroque, 159 p.
3. *Les Beaux dimanches* de Marcel Dubé, introduction de Alain Pontaut, 187 p.
4. *Bilan* de Marcel Dubé, introduction de Yves Dubé, 187 p.
5. *Le Marcheur* d'Yves Thériault, introduction de Renald Bérubé, 110 p.
6. *Pauvre amour* de Marcel Dubé, table ronde: Alain Pontaut, Gil Courtemanche, Zelda Heller, Maximilien Laroche, 161 p.
7. *Le Temps des lilas* de Marcel Dubé, introduction de Maximilien Laroche, 177 p.
8. *Les Traitants* de Guy Dufresne, introduction de Guy Dufresne, 176 p.
9. *Le Cri de l'Engoulevent* de Guy Dufresne, introduction de Alain Pontaut, 123 p.
10. *Au retour des oies blanches* de Marcel Dubé, introduction de Henri-Paul Jacques, 189 p.
11. *Double jeu* de Françoise Loranger, notes de mise en scène d'André Brassard, 212 p.
12. *Le Pendu* de Robert Gurik, introduction de Hélène Bernier, 107 p.
13. *Le Chemin du Roy* de Claude Levac et Françoise Loranger, introduction de Françoise Loranger, 135 p.

14. *Un matin comme les autres* de Marcel Dubé, introduction de Guy Beaulne, 146 p.
16. *Florence* de Marcel Dubé, introduction de Raymond Turcotte, 150 p.
17. *Le coup de l'Étrier* et *Avant de t'en aller* de Marcel Dubé, postface de Marcel Dubé, 126 p.
18. *Médium Saignant* de Françoise Loranger, introduction de Alain Pontaut, 139 p.
19. *Un bateau que Dieu sait qui avait monté et qui flottait comme il pouvait, c'est-à-dire mal* de Alain Pontaut, introduction de Jacques Brault, 105 p.
20. *Api 2967* et *La Palissade* de Robert Gurik, introduction de Réginald Hamel, 147 p.
21. *À toi, pour toujours, ta Marie-Lou* de Michel Tremblay, introduction de Michel Bélair, 94 p.
22. *Le Naufragé* de Marcel Dubé, introduction de Jean-Léo Godin, 132 p.
23. *Trois Partitions* de Jacques Brault, introduction de Alain Pontaut, 193 p.
24. *Diguidi, diguidi, ha! ha! ha!* et *Si les Sansoucis s'en soucient, ces Sancoucis-ci s'en soucieront-ils? Bien parler c'est se respecter!* de Jean-Claude Germain, introduction de Robert Spickler, 194 p.
25. *Manon Lastcall* et *Joualez-moi d'amour* de Jean Barbeau, introduction de Jacques Garneau, 98 p.
26. *Les belles-sœurs* de Michel Tremblay, introduction de Alain Pontaut, 156 p.
27. *Médée* de Marcel Dubé, introduction d'André Major, 124 p.

28. *La vie exemplaire d'Alcide 1er le pharamineux et de sa proche descendance* de André Ricard, introduction de Pierre Filion, 174 p.
29. *De l'autre côté du mur* suivi de cinq courtes pièces de Marcel Dubé, préface de Marcel Dubé, 214 p.
30. *La Discrétion, La Neige, Le Trajet* et *Les Protagonistes* de Naïm Kattan, introduction de Laurent Mailhot, 144 p.
31. *Félix Poutré* de L.H. Fréchette, introduction de Pierre Filion, 144 p.
32. *Le retour de l'exilé* de L.H. Fréchette, introduction de Alain Pontaut, 120 p.
33. *Papineau* de L.H. Fréchette, introduction de Rémi Tourangeau, 160 p.
34. *Véronica* de L.H. Fréchette, introduction de Étienne F. Duval, 120 p.
35. *Si les Canadiennes le voulaient!* et *Aux jours de Maisonneuve* de Laure Conan, préface de Rémi Tourangeau, 168 p.
36. *Cérémonial funèbre sur le corps de Jean-Olivier Chénier* de Jean-Robert Rémillard, 136 p.
37. *Virginie* de Marcel Dubé, introduction de François Ricard, 161 p.
38. *Le temps d'une vie* de Roland Lepage, présentation de François Ricard, 157 p.
39. *Sous le règne d'Augusta* de Robert Choquette, présentation de Marie Rose Deprez, 139 p.
40. *L'impromptu de Québec* ou *Le testament* de Marcel Dubé, introduction de Robert Saint-Amour, 208 p.

41. *Bonjour, là, bonjour* de Michel Tremblay, introduction de Laurent Mailhot, 111 p.

42. *Une brosse* de Jean Barbeau, présentation de Jean Royer, 117 p.

ACHEVÉ D'IMPRIMER
SUR LES PRESSES L.E.
MARQUIS DE MONTMAGNY
LE 20 JUIN 1975 POUR
LES ÉDITIONS LEMÉAC INC.